MANAGEMENTUL RISCULUI ȘI AL CAPITALULUI MONETAR

PENTRU ÎN PROCESUL DE TRANZACȚIONARE ZILNICĂ ȘI SWING

Un ghid complet despre cum să-ți maximizezi profiturile și să-ți minimizezi riscurile în tranzacționarea pe perechi valutare, futures și acțiuni

WIELAND ARLT

TORERO TRADERS SCHOOL

GET READY FOR THE BULL

Pentru informații generale sau comentarii, vă rugăm să trimiteți un e-mail la: get-ready@torero-traders-school.com

ISBN: 978-3-9821776-3-2 (paperback)

www.torero-traders-school.com

Cuprins

PARTEA II:
DE LA A FI PROFESIONIST LA A DEVENI UN INVES-TITOR DE TOP

Introducere

Felicitări! Citind primele rânduri ale acestei cărți, faceți deja parte din cercul investitorilor care se ocupă în mod profesionist și conștient de investiții și tranzacționare!

Așadar, ce implică tranzacționarea și investițiile de succes? În primul rând, este vorba de o strategie solidă care vă arată oportunitățile profitabile. Alegerea instrumentului financiar potrivit este, de asemenea, o parte esențială a succesului dumneavoastră. Aveți posibilitatea de a alege între acțiuni, ETF-uri (**Exchange Traded Funds**), forex sau futures - pentru a numi doar câteva. Cu toate acestea, cea mai importantă componentă a unei investiții de succes este gestionarea conștientă a riscului și administrarea propriului capital de investiții. Acestea sunt caracteristicile unui investitor și/sau trader profesionist care acționează pe piețele financiare!

Deși gestionarea riscurilor este un aspect esențial în investițiile și tranzacțiile de astăzi și fiecare investitor și trader este teoretic familiarizat cu acest aspect, în viața reală există, din păcate, o diferență uriașă dacă această chestiune este doar înțeleasă sau gândită și, de asemenea, aplicată. Rezultatele obținute de mulți investitori mici ilustrează adesea această diferență într-un mod care dă de gândit. Gestionarea profesională a riscului și dezvoltarea unei atitudini pozitive față de acesta constituie prima parte a acestei cărți.

După ce ne-am ocupat în mod intensiv de gestionarea profesională a pierderilor, putem vorbi despre gestionarea profesională a profiturilor ca fiind următorul pas. Ambele - asumarea atât a pierderilor, cât şi a profiturilor - sunt importante pentru un trader (investitor mic) de succes. În trecut, poate că a fost suficient să se ia în considerare doar limitarea pierderilor - de exemplu, gestionarea riscurilor - în tranzacţionare, dar astăzi este la fel de important să se ia în considerare şi obţinerea justă a profiturilor. De ce? Pe de o parte, pieţele financiare sunt destul de des foarte volatile şi sar brusc de la noi maxime la noi minime. Uneori, apare iniţial un profit potenţial contabil, dar mişcările pieţei pot determina rapid o pierdere sigură şi îl poate elimina chiar în momentul următor. Pe de altă parte, de multe ori nu este vorba doar de volatilitate. De exemplu, deşi acţiunile, în general, au crescut întotdeauna în timp, acest lucru nu este valabil pentru toate acţiunile. De-a lungul anilor, multe companii corporatiste şi acţiunile lor au dispărut de pe piaţă fără zgomot - distrugând brusc profiturile acumulate în conturile investitorilor.

Modul de gestionarea conştientă a profiturilor ne conduce direct la gestionarea profesională a banilor şi la încheierea primei părţi a cărţii.

În cea de-a doua parte a cărţii, dorim să adăugăm câteva elemente importante despre gestionarea riscurilor şi a capitalului monetar şi să aprofundăm cunoştinţele dobândite. Pentru a avea succes ca trader sau investitor pe termen lung, este important să vă găsiţi propriul stil de tranzacţionare şi strategia adecvată şi să le implementaţi în mod conştient. În plus, există un număr aproape nelimitat de abordări şi strategii de tranzacţionare în tranzacţionare şi investiţii. Ceea ce au toate acestea în comun este faptul că performanţa lor poate fi măsurată prin anumite cifre-cheie, care nu numai că arată profitul sau pierderea obţinută, dar ilustrează şi contextul unei abordări alese sau al unei strategii implementate.

Luaţi în considerare acest exemplu: Imaginaţi-vă un trader/investitor mic care obţine o rată de succes excelentă cu strategia sa, dar care îşi ia profiturile prematur. Acum imaginaţi-vă un alt trader care, cu aceeaşi strategie, are sub control riscul individual al unei singure poziţii, dar îşi asumă un risc global prea mare din cauza ratei scăzute de succes. Deși ambii investitori urmează aceeași strategie, diferențele de execuție și de gestionare a ordinelor trebuie luate în considerare în mod corespunzător atunci când se evaluează performanța.

Acest lucru pune o întrebare esențială și elementară pentru investitotii mici /traderii și investitorii mari activi: Unde anume se află pârghiile individuale, care ne permit să ne aliniem abordările și strategiile de tranzacționare cu capitalul nostru, experiența noastră și cifrele cheie pe care le-am obținut, astfel încât să putem obține rezultate pozitive în mod durabil?

Răspunsul la această întrebare ne duce direct la elementele de gestionare profesională a riscurilor și a banilor. Scopul legăturii trebuie să fie limitarea eficientă a riscului, pe de o parte, și optimizarea individuală a propriilor rezultate de tranzacționare, pe de altă parte, sporind astfel oportunitățile de tranzacționare care apar și mărind viteza de rotație a capitalului propriu, adică posibilitatea de a rula de mai multe ori aceeași sumă de capital.

Cu ajutorul "Money Management Matrix ", veți cunoaște și utiliza un instrument cu ajutorul căruia vă puteți îmbunătăți rezultatele personale de tranzacționare pe termen lung. Money Management Matrix " vă prezintă elementele de gestionare profesională a riscurilor și a capitalului disponibil - cu ajutorul cărora vă puteți adapta tranzacționarea la cerințele dumneavoastră individuale.

În acest punct, chiar și investitorii cu experiență vor găsi noi perspective și abordări importante pentru îmbunătățirea rezultatelor personale în tranzacționare.

Pentru a vă îmbunătăți procesul de gestionare a banilor și, prin urmare, rezultatele generale ale tranzacționării, vom analiza, de asemenea, modul în care vă puteți reduce puțin câte puțin riscul și, astfel, vă puteți proteja în continuare profiturile potențiale acumulate. În acest context, vom discuta, de asemenea, despre o intrare (cumpărare de titluri de valoare) și o ieșire (vânzare) pas cu pas dintr-o poziție de tranzacționare.

De asemenea, vă puteți îmbunătăți rezultatele de tranzacționare prin combinarea diferitelor intervale de timp, precum și prin creșterea treptată a unei poziții existente. Modul exact în care puteți proceda aici, ținând cont de " Money Management Matrix" și de modul în care aceasta vă afectează rezultatele generale, va face, de asemenea, parte din această carte.

Pentru a vă permite să înțelegeți în mod direct și imediat modul în care ideile și abordările prezentate în carte sunt puse în practică, le vom aplica în mod regulat la trei conturi de dimensiuni diferite și vom trage concluziile practice corespunzătoare. În exemplele noastre vom folosi nu numai diferite stiluri de tranzacționare, ci și diferite produse financiare.

În plus, în această carte, vom arunca o privire în spatele cortinei tuturor tranzacțiilor și ne vom concentra asupra ta – investitorul însuți - și a stării tale mentale.

De ce să faci asta? Pentru că, în ultimă instanță, toate deciziile de investiții și de tranzacționare se bazează întotdeauna pe dumneavoastră. Din acest motiv, este important ca aceste decizii să se bazeze pe convingerile și posibilitățile dumneavoastră personale. Numai atunci puteți să le puneți în aplicare cu consecvență și curaj. Pentru a afla despre aceste premise personale, cartea vă cere în mod regulat să vă ocupați intensiv de anumite întrebări.

Așadar, să începem acum și să determinăm elementele de bază ale viitorului tău succes în tranzacționarea personală!

1
PARTEA

Cum să devii un trader profesionist

CAPITOLUL 1:
Cheia succesului în tranzacționare

Cea mai importantă condiție prealabilă pentru succesul pe termen lung în investiții și tranzacționare este o bază financiară sănătoasă. Acesta este un principiu fundamental. Bineînțeles, este important nu numai să ai această baza financiară la începutul carierei de tranzacționare, ci și să o deții și să o menții permanent. Fără o bază financiară, nu există tranzacționare. Este atât de simplu. Nu-i așa?

Ce legătură au riscul și managementul banilor cu succesul în tranzacționare?

Chiar dacă este o concluzie de la sine înțeleasă că condiția absolută pentru tranzacționare este disponibilitatea capitalului utilizabil, este important să acordăm o atenție deosebită acestui aspect.

Prima întrebare la care trebuie să răspundem este în ce măsură gestionarea profesională a riscurilor și a banilor ne poate ajuta să ne menținem și să ne extindem baza financiară sau capitalul financiar. A doua întrebare la care trebuie să răspundem este dacă există vreo diferență între gestionarea riscurilor și gestionarea banilor și, în caz afirmativ, unde se află aceasta. Adesea, ambii termeni sunt utilizați în mod interschimbabil. Apoi, totul este în mod regulat pus la un loc, conform motto-ului: Limitarea pierderilor are o legătură dependentă de gestionarea adecvată a capitalului disponibil.

În acest moment, este logic să separăm cei doi termeni unul de celălalt şi să îi luăm în considerare separat. Vom reuni din nou ambii termeni pe parcursul cărţii.

Pentru a face o distincţie concretă între cei doi termeni, înţelegem, în general, prin gestionarea riscului ca fiind luarea în considerare şi planificarea unei tranzacţii sau a unei poziţii de cumpărare active din perspectiva riscului. Ca să vă dau o concluzie: Strategia de "a pune toate ouăle într-un singur coş" nu este una dintre ele. Mai degrabă, atunci când planificaţi o tranzacţie, trebuie să vă gândiţi cu atenţie cât de mult doriţi să cheltuiţi pe ce tip de titlu de valoare. Pentru a vă oferi un cuvânt cheie deja aici: Este vorba de limitarea pierderilor şi, astfel, de menţinerea bazei financiare.

În general, în cazul managementului financiar, combinăm controlul direcţionat al cheltuielilor de capital ale investiţiilor dumneavoastră şi planificarea optimă simultană a tuturor tranzacţiilor dumneavoastră, cu scopul de a vă creşte continuu baza financiară. Cu un management corect al banilor, vă puteţi planifica şi controla din timp succesul pe pieţele financiare din perspectiva capitalului angajat în tranzacţionare. Veţi fi surprins de posibilităţile care vă aşteaptă!

Legătura dintre managementul riscului şi managementul banilor este răspunsul la întrebarea cât de mult se poate obţine cu o tranzacţie sau cu o poziţie şi în ce măsură acest lucru este proporţional cu pierderea potenţială. De asemenea, vom discuta acest subiect mai amănunţit şi astfel vom putea judeca în acelaşi timp dacă şi în ce măsură o tranzacţie are sens.

Pentru a ne apropia de gestionarea riscurilor, să facem mai întâi un pas înapoi şi să începem cu începutul. . În acest moment, să abordăm mai întâi principiul investiţiilor în general. Ce înseamnă, de fapt, să faci o investiţie? De ce se investeşte? Ce speraţi să obţineţi prin investiţii? Consideraţi că prin investiţie acordaţi încrederea dvs. managementului companiei listate pe piaţa de capital?

Ori de câte ori vă gândiți să faceți o investiție, probabil că vă veți întreba mai întâi ce puteți obține în urma investiției. Cu siguranța nu ați lua în considerare o investiție dacă nu ați obține ceva înapoi, nu-i așa? În același timp, însă, va trebui să vă confruntați și cu riscul care este inseparabil legat de investiție. Știm acest lucru din aproape toate domeniile vieții: Acolo unde există o oportunitate, există de obicei și un risc.

Putem fi siguri că, odată ce faceți o investiție, vă asumați automat un risc. De ce? Pentru că nimeni nu poate prezice viitorul. Îți investești resursele disponibile și speri - asta este tot ce poți face - că investiția ta va fi rentabilă.

Ați observat? De altfel, nici măcar nu vorbim despre "piețe financiare", "tranzacționare" sau "investiții". " Nu, vorbim despre o investiție în general. Aceasta poate merge în toate direcțiile posibile și nici măcar nu trebuie să fie materială. Chiar dacă ajutați un bun prieten să se mute sau să facă curat în pivniță, aceasta este o investiție. în prietenia voastră. Și cu siguranță te aștepți ca prietenul tău să te ajute data viitoare când vei muta sau vei asambla o piesă de mobilier. Aceasta este, ca să spunem așa, răsplata investiției tale; certitudinea de a vă putea baza unul pe celălalt este răsplata. Dar aceasta este o altă chestiune. Miza aici este de a clarifica faptul că, în cele din urmă, cu toții investim în mod regulat. Mai mult sau mai puțin conștient, dar o facem.

De exemplu, investim timp într-un proiect interesant la locul de muncă. La nivel privat, ne investim angajamentul în antrenamentul pentru un meci de fotbal important. Da, investim chiar și într-o prietenie sau într-o relație...

... și investim, de asemenea, capital în companii sau industrii promițătoare.

Și ce se întâmplă dacă o investiție făcută nu dă roade?

Ne asumăm un risc cu toate investițiile. Și anume, riscul ca aceste investiții să eșueze și fie să nu primim nimic în schimbul resurselor investite, fie, în cel mai rău caz, să ne pierdem cu totul angajamentul: proiectul este anulat, meciul de fotbal este pierdut, prietenia eșuează sau relația se destramă. Resursele noastre investite de timp, putere și energie sunt pierdute.

Desigur, nu puteam ști acest lucru dinainte, altfel nu ne-am fi implicat. Cu toate acestea, riscul de eșec a existat dintotdeauna, la fel ca și șansa unui rezultat pozitiv: impulsul în carieră după un proiect de succes, campionatul după un meci de fotbal, prietenia sau relația de o viață.

După cum vedeți: în cele din urmă, investim în mod regulat în viețile noastre și sperăm că resursele pe care le folosim vor aduce un "randament" și că investiția noastră va "da roade" pentru noi. Dar știm, bineînțeles, și că nu putem "câștiga" întotdeauna." Atunci se spune pur și simplu că nu s-a întâmplat nimic, cu excepția cheltuielilor.

Mâna pe inimă: ne împiedică asta să ne pregătim conștiincios pentru un nou proiect data viitoare, să ne antrenăm din nou intens pentru un meci de fotbal, să formăm din nou, noi legături de prietenie sau chiar să intrăm într-o nouă relație? Nu, bineînțeles că nu. Dar este posibil să devenim un pic mai precauți, mai pretențioși sau mai concentrați. Poate că ne vom pregăti și mai intens. De ce? Pentru că vrem să prevenim ca angajamentul nostru - investiția noastră - să eșueze din nou. În sens figurat, practicăm managementul riscului pentru a ne proteja împotriva eșecurilor grave și excesive.

Acum, înainte de a intra în reflecții filozofice prea profunde despre viață, să ne întoarcem la miezul cărții și să ne gândim la investiția ta financiară într-o companie sau într-o industrie promițătoare.

Și, din nou, nu este un lucru sigur că investiția dumneavoastră va funcționa: compania în care ați investit poate da faliment sau întreaga industrie poate deveni depășită tehnologic și industrial. În cel mai rău caz, banii dumneavoastră - capitalul investit - sunt pierduți.

Fie că ne place sau nu, acest "pericol potențial" face parte din natura oricărei investiții. Și tocmai de aceea primim înapoi pentru investiția noastră ceva care depășește valoarea investiției făcute. Există dobânzi sau dividende. Poate că și câștigurile suplimentare de preț ne vor tenta să ne asumăm riscuri suplimentare, astfel încât riscul nostru să merite. Și cu cât riscul asumat este mai mare, cu atât mai mare trebuie să fie recompensa potențială pentru noi, investitorii.

Acest lucru ne aduce direct la dumneavoastră. De ce investiți? De ce tranzacționați? De ce vă investiți capitalul? Probabil pentru a obține un profit din el. Poate că vă așteptați la un dividend, poate că vă așteptați la dobânzi, poate că vă așteptați la aprecieri de preț. Poate toate acestea "fructe" materiale împreună.

În acest moment, să presupunem că tranzacționați acțiuni, valute sau contracte futures. Ce legătură au riscul și gestionarea banilor cu succesul investiției dumneavoastră - tranzacționarea dumneavoastră?

Doar prin gestionarea riscurilor, sunteți deja în măsură să controlați evenimentele neprevăzute care sunt întotdeauna asociate cu o investiție. Gestionarea riscurilor este singura modalitate de a transforma incertitudinea asociată unei investiții într-un anumit grad de siguranță.

Și gestionarea banilor? Ce legătură are asta cu asta? Pur și simplu: În timp ce gestionarea riscurilor vă salvează de la naufragiul unei investiții în tranzacționare, gestionarea inteligentă a banilor vă ajută să vă controlați în mod optim tranzacțiile - investițiile dumneavoastră - și să vă construiți în mod constant activele sau resursele disponibile.

Ambele, în combinație, sunt indispensabile pentru succesul pe termen lung în tranzacționare.

De ce este esențială gestionarea riscurilor și a banilor pentru o tranzacționare de succes?

Cu siguranță ați studiat deja piețele financiare, prețurile și graficele în profunzime și sunteți familiarizat cu numeroasele modele diferite care pot fi găsite pe un grafic. Poate că urmăriți sau tranzacționați piețele de mult timp. Atunci ați auzit cu siguranță despre prăbușirile piețelor bursiere din lume sau chiar le-ați experimentat personal ca investitor sau trader.

Înainte de a continua aici, să ne întoarcem câțiva ani în urmă. În "vremurile bune", recomandări de genul "cumpărați o acțiune, păstrați-o și îmbogățiți-vă de-a lungul anilor... " puteau fi puse în aplicare cu conștiința împăcată. Întregul subiect al gestionării riscurilor era privit cu suspiciune de mulți, deoarece o acțiune era aproape lipsită de riscuri în vremuri de creștere a piețelor, economii înfloritoare și profituri în creștere - dacă o păstrai pentru o perioadă de timp corespunzător. Investitorii pe termen lung și traderii au reușit să se descurce confortabil până la începutul mileniului. Singurul risc la acea vreme era mai degrabă să nu fii prezent pe o piață sau pe o acțiune.

Apoi a venit "noua piață"... și totul s-a schimbat!

Companiile solide au devenit candidate la faliment, iar micile companii de garaj au devenit companii foarte bine cotate. Promisiunile și ideile valorau mai mult decât faptele și cifrele concrete. Subiectul managementului riscului era complet în afara atenției investitorilor, în adevăratul sens al cuvântului "afară." Din păcate, așa cum probabil spun unii investitori în retrospectivă. Pentru că restul este istorie.

Odată cu prăbușirea piețelor, tot ceea ce era tranzacționabil a fost aruncat sub roțile istoriei - fie că era vorba de economia nouă sau veche. Aproape toate acțiunile și-au pierdut dramatic din valoare. Multe companii au dispărut complet de pe scenă; altele au rămas pe piață, dar nu și-au revenit până în prezent.

Acest lucru este demonstrat în mod impresionant de exemplul indicelui S&P 500, care a pierdut mai mult de 50% din valoarea sa în decurs de doi ani și jumătate.

Figura 1: S&P 500 INDEX, grafic săptămânal (o lumânare = o săptămână).
Indicele S&P 500 a pierdut 50,5% din valoarea sa de la maximul istoric de
1 552,87 puncte în 2000 până la minimul de 768,63 puncte în 2002, sursa:
www.tradingview.com [1]

Atunci când piețele au început să își revină începând cu 2002 și au
atins noi maxime, totul a fost, desigur, cu totul diferit. Vechea piață
dispăruse, iar acțiunile și piețele care au rezistat crizei financiare
erau toate mai solide. Relațiile comerciale internaționale se aflau la
apogeu, iar în "piețele emergente", de câțiva ani, se înregistrau rate de
creștere cu două cifre pe trimestru. Euro era pe punctul de a contesta
dolarul american ca monedă principală și, datorită ratelor foarte
scăzute ale dobânzii, mulți oameni își puteau permite să își cumpere
propria casă chiar și fără capital propriu...

Aproape prea frumos pentru a fi adevărat...Și, într-adevăr, la șapte
ani după prăbușirea de la începutul mileniului, piețele s-au prăbușit
din nou cu o explozie. Fie că era vorba de acțiuni sau de mărfuri, tot
ceea ce putea fi vândut a zburat din portofolii de active. Într-o reacție
în lanț, o valoare a tras-o pe cealaltă în jos odată cu ea. În cele din

---

[1]   Tradingview® este o marcă înregistrată.

urmă, au rămas în urmă investitori tulburați, portofolii devastate și conștientizarea faptului că ar putea fi destul de rațional să se limiteze profesionist riscul unei investiții.

Să ne uităm și la indicele S&P 500, care a scăzut cu mai mult de jumătate în decurs de 1,5 ani, reprezentând piețele mondiale.

Figura 2: S&P 500 INDEX, grafic săptămânal (o lumânare = o săptămână). Indicele S&P 500 a pierdut 57,69% din valoarea sa de la maximul istoric din 2007, de la 1 576,09 puncte, până la minimul din 2009, de la 666,79 puncte, sursa: www.tradingview.com

Poate că acum veți spune: *Ei bine, aceștia sunt indicii și, apropo, și-au revenit. La urma urmei, noi maxime istorice ale indicilor au fost deja atinse până acum!* Aveți, desigur, dreptate și în această privință - cel puțin în parte. Da, indicii și-au revenit din nou; în mod evident, o fac întotdeauna.

Dar cum rămâne cu companiile și cu acțiunile lor în indici? Și acestea și-au revenit?

Lăsați faptele să vorbească de la sine. Folosind exemplul companiei germane de asigurări Allianz și al acțiunilor sale, care este considerată o acțiune standard de către mulți investitori și este tranzacționată ca o investiție foarte bună, putem observa în mod impresionant că de la maximul istoric din 2000 până la minimul din 2003 s-a acumulat o pierdere de 90%. Chiar dacă prețul acțiunii a crescut din nou până la 180,29 euro în 2007, acesta nu s-a apropiat nici pe departe de maximul de 445 euro din 2000. Dimpotrivă. Odată cu cea de-a doua prăbușire din 2008, la 45,15 euro, acțiunea a pierdut din nou 75% din valoarea sa.

Prin comparație, indicele acțiunilor germane a atins un nou maxim istoric în 2007, recuperând astfel pierderile suferite în patru ani.

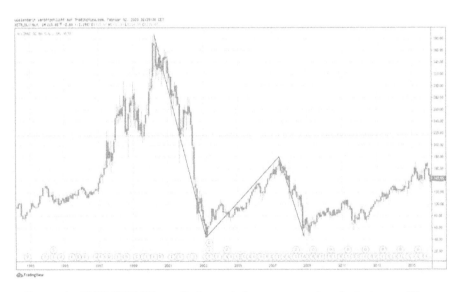

Figura 3: ALLIANZ SE, grafic lunar (o lumânare = o lună). Acțiunea Allianz a pierdut 90% din valoarea sa de la maximul istoric de 445 de euro în 2000 până la minimul din 2003, la 44,50. Până la următoarea prăbușire la 45,15 euro în 2007, a revenit la 180,29 euro înainte de a testa din nou minimul de la sfârșitul anului 2008, la 45,15 euro. Sursa: www.tradingview.com

Există, desigur, și alte motive raționale pentru a limita riscul. La urma urmei, nu este întotdeauna nevoie de o prăbușire globală a bursei pentru ca o acțiune să se prăbușească. În cele mai multe cazuri, o numire ca membru al unui Consiliu de administrație al unei companii listate sau o decizie greșită în conducerea unei companii este suficientă. Dar și ciclurile de fabricație al produselor sau temele aflate la modă pot, de asemenea, să provoace prăbușirea acțiunilor la fel de repede cum le-au condus la cer prin prisma creșterii prețului.

Gândiți-vă, de exemplu, la întreaga industrie tehnologică și la protagoniștii săi. Acțiunile Nokia, de exemplu, au fost unul dintre candidații foarte fierbinți din portofoliile investitorilor până când progresul tehnologic a depășit compania și a început lungul declin.

Să ne uităm din nou la graficul de aici:

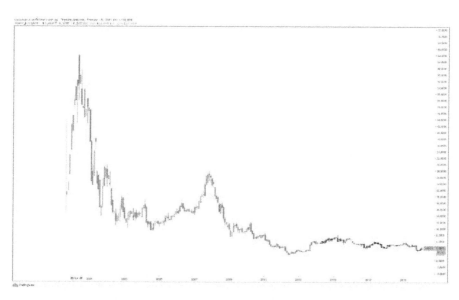

Figura 4: NOKIA CORP., grafic lunar (o lumânare = o lună). Acțiunea Nokia a pierdut 86,45% din valoarea sa de la maximul istoric de 65,99 euro în 2000 la minimul de 8,85 euro în 2004. După o revenire intermediară în 2007, până la 28,66 euro, acțiunea a continuat să scadă până la 1,33 euro în 2012, Nokia pierzând 97,96% din valoarea sa de la maximul istoric din 2000. Sursa: www. tradingview.com

În acest moment trebuie să ne întrebăm mai întâi ce trebuie să se întâmple pentru ca piața să evalueze o companie la vechile maxime după o pierdere de preț de peste 95%? A doua întrebare pe care trebuie să ne-o punem în acest context este: în ce perioadă de timp ar trebui să se întâmple acest lucru?

Aceste două companii au fost, desigur, exemplare. Există multe exemple similare în toți indicii din lume. Fără a aprofunda analiza acțiunilor individuale, ar fi trebuit să devină clar că, deși indicii bursieri își revin în mod regulat și marchează noi maxime, acțiunile lor individuale pot rămâne departe de maximele lor chiar și în fazele de revenire. Și să facă acest lucru permanent.

Când vine vorba de investiții, trebuie să ne amintim întotdeauna că lumea este un loc în continuă mișcare. Tendințele apar și dispar. Și odată ce pleacă, nu se mai întorc. Apoi apar subiecte noi, idei noi, produse noi, piețe noi și câștigători noi.

Din nefericire, nu știm întotdeauna acest lucru cu certitudine absolută decât după aceea. Fidel motto-ului "În retrospectivă, ești întotdeauna mai deștept", totul este clar și vizibil pentru toată lumea. În cele din urmă, din păcate, nu știm decât retrospectiv care companii sunt adevărați câștigători și care sunt perdanții permanenți.

În calitate de trader, trebuie să luați întotdeauna în considerare acest aspect în investițiile dumneavoastră și să limitați strict riscul asociat. Și mai există o altă latură a acestui considerent - și aici intervine managementul banilor. La fel cum nu putem ști dinainte ce investiție va fi perdantă, nu putem ști nici care dintre investițiile făcute va fi un adevărat câștigător.

Pur și simplu nu știm. În ciuda oricărei analize fundamentale și/sau tehnice, nu putem ști. De aceea este atât de important ca tu, în calitate de trader(investitor mic), să îți planifici investițiile cu atenție și să te pregătești pentru orice eventualitate. Acest lucru include nu numai luarea în considerare a unei posibile pierderi, ci și luarea în considerare a unui posibil câştig. Ambele sunt importante şi ambele sunt esenţiale pentru o poziţionare de succes şi conştientă pe pieţe.

Cine eşti tu? Trader, investitor sau visător ?

Acum că ştim de ce este o idee bună să luăm în considerare atât riscul, cât şi gestionarea banilor, putem începe prin a ne îndepărta de pieţe şi a ne îndrepta atenţia către dumneavoastră - persoana din spatele tranzacţiei. Doar atunci când ştii din ce lemn eşti cioplit poţi alinia managementul riscului şi al banilor astfel încât să ţi se potrivească cel mai bine şi să poţi trăi literalmente cu el.

Deci. Cine eşti tu - în ceea ce priveşte comportamentul tău investiţional? V-aţi gândit vreodată la modul în care doriţi să tranzacţionaţi şi să acţionaţi pe pieţele financiare? Dacă preferaţi să obţineţi profituri rapide pe termen scurt sau dacă preferaţi să vă angajaţi pe termen lung pe pieţe? Dacă sunteţi capabil să suportaţi fluctuaţiile în drumul spre obiectivul dvs. măreţ sau preferaţi să vă mulţumiţi cu profituri mici?

Dacă nu aveţi un răspuns spontan la aceste întrebări, vă rugăm să puneţi cartea deoparte pentru moment şi să vă luaţi timp pentru a găsi răspunsurile. Abia după ce aţi terminat puteţi continua lectura!

Acum că aţi găsit primele răspunsuri pentru dumneavoastră, vă puteţi pune următoarele întrebări care vă vor determina viitorul şi succesul ca trader:

> Vreau să acţionez mai agresiv sau mai defensiv?

> Prefer să acţionez pe termen scurt sau pe termen lung?

> Câtă experienţă am cu strategia mea pe pieţele pe care le tranzacţionez?

> Ce vreau să obţin prin acţiunile mele?

De aici începe gestionarea riscurilor și a banilor. Nici măcar nu aveți nevoie de o acțiune pentru a face acest lucru. În primul rând, aveți nevoie doar de câteva minute de liniște pentru reflecția interioară.

Cu ajutorul răspunsurilor la aceste întrebări, veți determina modul în care abordați piața și cum acționați pe piață. Răspunsurile determină, de asemenea, ce doriți să faceți, când și pentru cât timp. Și vă oferă un obiectiv clar pe care doriți să îl atingeți cu tranzacționarea dumneavoastră.

În cele din urmă, răspunsurile tale vor decide dacă vei avea succes pe piață sau nu! Răspunsurile dvs. determină modul în care planul și strategia dvs. de tranzacționare trebuie să fie aliniate și ce stil de tranzacționare folosiți pentru a tranzacționa pe piețe.

De exemplu, ce înseamnă când vrei să acționezi agresiv? În acest caz, sunteți probabil mai dispus să vă asumați un risc mai mare. Acest lucru poate însemna, de exemplu, că intrați pe piață puțin mai devreme sau că vă asumați un risc puțin mai mare decât ar putea face un trader defensiv. Dacă sunteți mai defensiv, este posibil să doriți să vedeți o confirmare pe piață că semnalul dvs. de intrare este într-adevăr valabil înainte de a lua o poziție.

Poate că succesul rapid este important pentru dumneavoastră. În acest caz, s-ar putea să vă fie dificil să păstrați o poziție pentru mult timp și să vă luați în mod regulat profiturile rapid. Sau poate că nu doriți să luați la fel de multe poziții în piață și să le păstrați mai mult timp. Atunci s-ar putea să trebuiască să vă așteptați și la fluctuații de preț al activelor în timpul angajamentului.

Poate că începeți tranzacționarea de curând. Atunci totul este nou și interesant pentru dumneavoastră. Doriți să încercați toate piețele și produsele pentru a vă găsi mai întâi drumul. Bineînțeles, este posibil, de asemenea, să fiți un veteran care a văzut deja tot ceea ce au de oferit bursa și piețele. Aveți strategia dvs. și aceasta s-a dovedit a fi de succes. Știți ce va urma și puteți controla situația în orice moment.

Pentru procedura noastră ulterioară, sunt secundare răspunsurile pe care le-ați găsit pentru dumneavoastră la întrebările de mai sus, în cazul în care ați găsit răspunsuri. Aşadar, să presupunem că acesta este cazul pentru acțiunile noastre ulterioare.

Pentru a putea tranzacționa cu succes pe piețe, trebuie pur și simplu să vă cunoaşteți cerințele personale individuale. Planul dumneavoastră personal de tranzacționare trebuie să se bazeze pe acestea.

Astfel, avem în vedere şi o componentă psihologică a tranzacționării. Rețineți întotdeauna: puteți avea succes pe piețe doar dacă urmăriți o strategie potrivită pentru dumneavoastră şi pentru nevoile dumneavoastră. Pentru că numai atunci veți avea încredere deplină în strategia dvs. chiar şi în fazele dificile ale pieței şi vă veți ține de ea. Numai dacă ştiți cum şi de ce tranzacționați, veți putea să vă urmați în mod constant tranzacțiile. Acest lucru este esențial mai ales în fazele solicitante şi dificile de tranzacționare.

Care este legătura dintre această "autocontemplare interioară" şi subiectul nostru: riscul şi gestionarea banilor? Ei bine, pe de o parte, vom aborda aceste puncte individuale mai în detaliu mai târziu în carte; pe de altă parte, răspunsurile dumneavoastră au, de asemenea, o influență directă asupra modului în care vă veți modela gestionarea riscurilor şi a banilor în viitor. De asemenea, vom reveni cu regularitate asupra acestui aspect pe parcursul cărții.

În cele din urmă, poate că v-ați întrebat de ce trebuie să vă stabiliți un obiectiv pe care doriți să îl atingeți prin tranzacționare. Răspunsul la această întrebare este, de asemenea, simplu: Numai având în minte un obiectiv puteți urmări în mod constant acest obiectiv, vă puteți alinia strategia la acesta şi îl puteți menține.

Dacă nu aveți un obiectiv, dar operați pe piețe conform motto-ului "a fi acolo este totul", atunci veți obține exact acest lucru. Veți fi acolo. Pericolul este mare ca în momentul următor să pierdeți toate câştigurile pe care le-ați obținut fără un obiectiv - pur şi simplu pentru că nu ştiți ce vreți să realizați şi când este momentul să vă opriți din tranzacționare. Așadar, înainte de a începe să tranzacționați, gândiți-vă la ceea ce vreți să realizați. Acest lucru vă împiedică să pierdeți timp fără scop pe piețe.

Prin urmare, încă o dată recomandarea: Luați-vă suficient timp pentru voi înșivă pentru a răspunde la întrebările puse!

Pentru a lămuri lumea: Ce stil de tranzacționare se potrivește contului dvs. de tranzacționare?

Am abordat întrebările legate de abordarea dumneavoastră personală în ceea ce privește tranzacționarea pe piețe. Acest lucru ne permite să ne adaptăm și mai mult în mod individual la situația dvs. personală și să analizăm diferitele stiluri de tranzacționare pe care le puteți folosi pentru tranzacționarea dvs. Dorim să ne imaginăm diferitele stiluri de tranzacționare în funcție de perioada de timp în care sunt tranzacționate - putem distinge patru stiluri de tranzacționare:

POSITION TRADING: Vorbim de tranzacționare pe poziții atunci când cumpărați o acțiune sau un titlu și îl păstrați timp de câteva săptămâni, luni sau chiar ani. Orientarea este de urmărire a tendințelor, iar obiectivul dumneavoastră este de a rămâne cât mai mult timp posibil în cadrul unui trend existent. Analiza dvs. are loc pe termen lung, folosind grafice săptămânale și zilnice. Fluctuațiile pe termen scurt sunt mai puțin relevante pentru traderii de poziții decât tendința superioară. O strategie de dividend poate fi inclusă și în tranzacționarea pe poziții ca strategie suplimentară.

SWING TRADING: Vrem să numim activitățile dumneavoastră swing trading dacă tranzacționați atât împreună cu tendința de creștere a prețului, cât și împotriva acesteia. Scopul dvs. în swing trading este de a însoți oscilațiile individuale pe care le face o piață de la un maxim la un minim. Când mișcarea este completă, eliberați poziția dumneavoastră. În consecință, perioada dumneavoastră de deținere este de câteva zile sau săptămâni. Analiza tehnică a graficului se face în principal pe graficul zilnic. Indiferent de acest lucru, puteți, bineînțeles, să urmăriți oscilațiile de la un maxim la un minim într-un interval de timp mai scurt sau mai lung. Totuși, pentru considerațiile noastre ulterioare, swing trading-ul ar trebui să rămână în cadrul perioadei discutate.

DAY TRADING: Vorbim de day-trading dacă intenționați să dețineți o acțiune sau un produs pentru cel mult câteva ore. Pozițiile overnight sunt posibile dacă intrarea pe o poziție este găsită într-o zi și tranzacția nu este închisă până a doua zi. Analiza grafică pe care o efectuați în calitate de day trader are loc pe graficul de 60 de minute și este completată de graficul zilnic. Depinde de dumneavoastră dacă urmați tendința în tranzacționarea pe timp de zi sau tranzacționați împotriva acesteia.

INTRADAY TRADING: Sunteți un trader intraday atunci când efectuați mai multe tranzacții într-o zi și vă păstrați pozițiile pentru câteva minute sau ore. O poziție overnight iese din discuție pentru dumneavoastră ca trader intraday. Închideți toate pozițiile cel târziu la închiderea tranzacțiilor din ziua respective. " Analiza dvs. tehnică se face în principal pe grafice de 60 de minute, 15 minute, 5 minute sau chiar 1 minut.

Acum puteți să atribuiți răspunsurile deja pregătite la stilurile de tranzacționare prezentate. Dacă, de exemplu, ați declarat că sunteți mai mult orientat pe termen lung, atunci tranzacționarea pe parcursul zilei este mai puțin potrivită pentru dumneavoastră. Tranzacționarea pe poziții sau swing trading poate fi o variantă posibilă pentru dumneavoastră. Poate că doriți să vă luați profiturile rapid - cine știe ce va aduce ziua de mâine? Atunci, probabil că sunteți pe mâini bune în tranzacționarea intraday sau day trading. Sau vă spuneți că ați dori cu siguranță să vă luați câștigurile cu dumneavoastră, dar că nu doriți să vă expuneți la ritmul agitat al zilei. Atunci s-ar putea să vă simțiți acasă în swing trading.

De asemenea, este întotdeauna o chestiune legată de timpul pe care îl puteți sau doriți să îl investiți în tranzacționare. Dacă aveți la dispoziție doar câteva ore pe săptămână sau chiar și în weekend-

---

uri, atunci tranzacționarea intraday sau day trading nu este mai degrabă pentru dumneavoastră. Cu toate acestea, nu este nimic de spus împotriva operării cu succes pe piețe în calitate de swing traders pe baza unui grafic zilnic sau de position traders pe baza unui grafic săptămânal.

În cele din urmă, există nenumărate variante și combinații individuale pe care le puteți crea din aceste patru stiluri. Este important pentru toate acestea să vă aliniați managementul riscului și al banilor cu acest lucru și să planificați o tranzacție în consecință.

În acest moment, putem spune deja că swing trading sau tranzacționarea pe poziții necesită un management al riscului și al banilor diferit de cel al tranzacțiilor intraday sau day trading.

Deoarece există paralele puternice între intraday trading și day trading , vom combina aceste două stiluri și vom lucra cu trei stiluri pentru restul cărții: day trading , swing trading și position trading .

Pentru a vă permite să cunoașteți și să experimentați aceste stiluri în mod practic, trei trader ar dori să se prezinte; ei au fost de acord cu amabilitate să ne împărtășească experiențele lor. Aceștia sunt Rick, Anna și Peter. Fiecare dintre ei va tranzacționa într-un stil diferit și va tranzacționa în felul său unic. De asemenea, vom cunoaște trecutul personal al celor trei traderi.

Cel mai bine ar fi ca cei trei să se prezinte personal:

Bună ziua, numele meu este Rick și lucrez ca reprezentant de vânzări independent. Am douăzeci și șapte de ani, sunt singur și tocmai mi-am deschis primul meu cont de tranzacționare, unde am depus 5.000 de dolari. Experiența mea în tranzacționare se limitează la cunoștințe de bază de analiză tehnică și la studierea și observarea altor trader mici pe internet. În timpul zilei mele de lucru am în mod regulat timp liber, dar trebuie să dau din când în când telefoane către clienții și partenerii mei de afaceri. Cred că mă voi descurca bine ca trader de zi. Programul meu grafic este setat pe graficul de 60 de minute și acolo caut oportunități. Ca obiectiv lunar mi-am stabilit un profit de 500 de dolari. M-aş descrie ca fiind îndrăzneţ, iar clienţii mei mă cunosc ca fiind un vânzător abil. Bineînţeles, vreau să îmi arăt entuziasmul în tranzacţionare, motiv pentru care mă văd mai degrabă ca un trader agresiv. Pentru realizarea proiectului meu, văd cele mai mari şanse pentru mine pe piaţa valutară. În acest scop, mi-am deschis un cont la un broker care tranzacţionează valute.

Obiectivul de tranzacţionare al lui Rick este, desigur, foarte ambiţios, cu 6.000 de dolari sau 120% profit în primul an. Vom vedea cum şi dacă va reuşi să atingă acest obiectiv.

Dragă cititorule, numele meu este Anna. Am primit recent o moştenire de 25.000 de dolari, iar acum mă confrunt cu provocarea de a "face ceva" cu aceşti bani. Mă pricep deja la bursă şi la acţiuni şi mă pot baza pe câţiva ani de experienţă în tranzacţionare. Prin urmare, am decis să-mi iau succesul financiar în propriile mâini. Vreau să folosesc întreaga sumă pentru tranzacţionare. Deşi am deja o experienţă bună în tranzacţionare, vreau să acţionez defensiv pe piaţă. Nu se ştie niciodată. Obiectivul meu este să obţin un profit de 5.000 de dolari pe an - ceea ce înseamnă o creştere de 20%.

Întrebată despre stilul său de tranzacţionare, Anna a răspuns că vrea să devină un trader de poziţie. Ea doreşte să facă analiza tehnică pe graficul săptămânal şi pentru aceasta îşi rezervă câteva ore în weekend. Anna vrea să păstreze toate opţiunile deschise şi va analiza atât indicii bursieri mondiali, cât şi acţiunile individuale din cadrul indicilor şi le va tranzacţiona direct pe bursele respective. Anna are treizeci şi cinci de ani şi este căsătorită.

Bună ziua, numele meu este Peter. Lucrez ca manager de departament într-o companie mare şi am 48 de ani. În calitate de manager sunt destul de ocupat în timpul zilei, dar cu toate acestea am reuşit să citesc multe despre tranzacţionare în ultimele câteva luni şi am discutat cu familia mea despre deschiderea unui cont de tranzacţionare de 15 000 de dolari la un broker de contracte futures. Un prim test cu un cont demo a decurs deja profitabil şi sunt încrezător că pot obţine un profit de 10% până la 15% pe an cu swing trading. În calitate de tată responsabil a doi copii, vreau să abordez tranzacţionarea în mod defensiv. Am stabilit cu familia mea că voi avea la dispoziţie o oră în fiecare seară pentru a mă ocupa de poziţiile mele. Analiza mea tehnică are loc pe graficul zilnic. Pentru tranzacţionarea mea folosesc contracte futures.

Exprimat în cifre concrete, obiectivul de tranzacţionare al lui Peter este un profit de 1.500-2.250 de dolari în primul an. Şi aici vom vedea cum Peter îşi aplică managementul riscului şi al banilor pentru a-şi atinge obiectivele.

Anna, Rick şi Peter ne vor însoţi de acum încolo şi sunt suficient de amabili pentru a ne împărtăşi cu regularitate ideile, experienţele şi gândurile lor.

Acest lucru ne va permite să ne încheiem deliberările pregătitoare şi să facem următorul pas către o gestionare profesională a riscurilor.

Un scurt rezumat al celor mai importante fapte:

> Gestionarea riscurilor şi gestionarea banilor sunt doi termeni care trebuie luaţi în considerare separat.

> Gestionarea riscurilor serveşte la limitarea pierderilor.

> Managementul banilor cuprinde controlul şi îmbunătăţirea rezultatelor tranzacţiilor prin planificarea orientată a utilizării capitalului şi a altor elemente.

> Investiţiile sunt întotdeauna asociate cu un risc de eşec. Managementul riscului vă ajută să limitaţi acest risc.

> Deşi indicii bursieri îşi revin în mod regulat în timp după o scădere, acest lucru nu se aplică tuturor companiilor incluse în indice. După o prăbuşire pe o perioadă lungă de timp, acţiunile rămân adesea în urma celor mai ridicate valori de preţ obţinute în timp. Managementul riscului evită să se ţină capital în companiile slabe şi deschide calea pentru investiţii profitabile în noi câştigători potenţiali.

> Acțiunile se pot prăbuși împreună cu un indice, dar și din proprie inițiativă. În special, analiza tehnică vă poate ajuta să evitați pierderile mari și să găsiți o ieșire la timp din pozițiile cu pierderi.

> Înainte de a deschide un cont de tranzacționare și de a intra în piețe, este necesar să vă cunoașteți. Numai dacă știți unde se află punctele forte și preferințele dvs. personale în tranzacționare puteți începe tranzacționarea pe baza lor. Acest lucru face parte, de asemenea, din gestionarea profesională a riscurilor.

> Alegerea stilului de tranzacționare adecvat face, de asemenea, parte din acest proces. Dacă doriți să acționați pe termen lung sau pe termen scurt este decizia dumneavoastră individuală și are un impact asupra conceperii gestionării riscurilor și a banilor.

CAPITOLUL 2:
Managementul riscurilor

Exemplele din capitolul anterior ar trebui să fie suficiente pentru a clarifica faptul că nu puteți evita limitarea profesională a riscului în tranzacționare. Pe piețele care se mișcă rapid, unde deciziile de investiții necesită o revizuire periodică, trebuie să vă asigurați că nu aveți brusc în portofoliu o pierdere permanentă și pe termen lung.

Dar cum vă puteți asigura acest lucru? Cum puteți identifica un astfel de "ucigaș al performanței"?

Cu siguranță, există metode în analiza fundamentală și mai ales în analiza tehnică care pot indica o acțiune perdantă pe termen lung. Dacă, de exemplu, lansarea unui nou produs al unei companii eșuează sau dacă cifrele de afaceri se dovedesc a fi mai proaste decât se așteptau pentru mai multe trimestre la rând, atunci, din punct de vedere fundamental, este cel puțin recomandabil să ne uităm mai atent la grafic și să verificăm în ce măsură o investiție mai are sens. Din păcate, într-un astfel de caz, în mod normal, acțiunea a coborât deja mult timp. Așadar, oricine așteaptă ca datele fundamentale ale unei companii să vorbească clar - va avea adesea o surpriză neplăcută și, în caz de îndoială, va trebui să suporte pierderi mari înainte de a trage frâna de urgență și de a elimina acțiunea din portofoliul său.

Poate că analiza tehnică oferă indicații mai bune și mai rapide atunci când o acțiune sau o piață în general se îndreaptă spre sud. Și, într-adevăr, există multe indicii care oferă un pont aici și acolo. De exemplu, depășirea unui suport important sau finalizarea unei formațiuni de top poate fi un prim semnal pentru a părăsi corabia care se scufundă. O formațiune de tip umăr-cap-umăr, de exemplu, oferă indicii clare că ceva nu este în regulă cu o piață sau o acțiune. Atunci când piața dă primele semne de slăbiciune și nu atinge un nou maxim după un maxim, primii investitori devin nervoși. Dacă apoi o acțiune cade și sub un nivel de suport important, atunci probabilitatea este mare ca aceasta să continue să scadă, cel puțin pe termen scurt.

Să ne uităm la un grafic cu o formațiune tipică de tip umăr-cap-umăr:

Figura 5: S&P 500 INDEX, grafic săptămânal (o lumânare = o săptămână). Indicele S&P 500 crește de la minimul din 2009, la 666,79 puncte, la maximul din 2011, la 1 370,58 puncte. Acolo formează un cap care este doar puțin mai înalt decât maximul anterior - umărul stâng. Atunci când S&P 500 nu creează un nou maxim, se formează umărul drept. Odată cu ruperea liniei gâtului de la punctul 1, vânzarea începe la 1.265 de puncte. S&P 500 pierde aproximativ 15% din valoarea sa în decurs de trei luni. Apoi, S&P 500 se stabilizează și începe o nouă raliu spre un nou maxim istoric. Sursa: www.tradingview.com

Observăm că S&P 500 se află pe o tendință ascendentă din 2009. După o creștere constantă și directă, S&P 500 scade, crește din nou și formează un nou maxim. Până acum totul este bine. Acest lucru se încadrează, de asemenea, în imaginea de ansamblu. Dar apoi se întâmplă ceva care nu se încadrează în imaginea de ansamblu. S&P 500 scade, începe să crească din nou și apoi, brusc, nu mai formează un nou maxim. În acest moment, tehnica grafică devine cu adevărat interesantă! În acest moment putem interpreta un pic. Ce se întâmplă în mintea investitorilor? După o creștere pe parcursul mai multor luni sau ani, brusc nu se înregistrează un nou maxim? În zona maximului din toate timpurile?! Ce se întâmplă acolo?!

Nu trebuie să fim clarvăzători pentru a ști că o reacție în acest moment este cel puțin probabilă. Prudența este acum mai mult decât potrivită! Și într-adevăr: În conformitate cu regula pieței "ceea ce nu poate crește, trebuie să scadă", S&P 500 se îndreaptă spre sud. Mai întâi sparge suportul de la punctul 1 și apoi suportul de la punctul 2.

Să ne oprim pentru un moment în acest punct și să analizăm faptele:

1.   Piața nu reușește să marcheze un nou maxim, dar revine în zona maximului din toate timpurile.

2.   După un raliu lung, prețul se oprește și primul suport important este depășit.

Care ar fi reacția ta? La ce vă așteptați? După experiențele din 2000 și 2007, care este primul dumneavoastră impuls?

Așa cred mulți oameni! După ce a depășit punctul 2, prețul a scăzut din nou în mod clar. Investitorii au ieșit de pe poziții, iar vânzătorii în lipsă au intrat și ei pe piață. Ambii factori au făcut ca S&P 500 să scadă sub 1.100 de puncte în câteva luni.

Așadar, poate tehnica grafică să ofere indicații privind inversările de tendință? Da, poate! Dar acestea sunt doar indicii. Putem vedea, de asemenea, că S&P 500 a crescut din nou imediat după vânzare, atingând un nou maxim istoric în acest proces.

Deci nu este mai bine să ne păstrăm poziția? Să stăm pe pierderi? Evident, până la urmă, lucrurile sunt întotdeauna în creștere! Aici

29

trebuie să ne gândim la gestionarea riscurilor. După experiențele din trecut: Cine ar putea spune dinainte unde se va termina vânzarea? Nu putem prezice viitorul și, prin urmare, trebuie să ne protejăm împotriva pierderilor elementare.

Prin urmare, în astfel de situații, nu poate exista decât o singură recomandare pentru dumneavoastră: Ieșiți din piață!

Gestionarea riscurilor înseamnă, în primul rând, limitarea pierderilor. Iar cei care, de exemplu, și-au închis pozițiile la punctul 1 sau chiar la punctul 2, și-au salvat o mare parte din pierderi. Iar o pierdere salvată este, în acest sens, și un câștig!

De ce anume este mai bine să renunți decât să rămâi în această poziție și să speri la vremuri mai bune? Pentru că pur și simplu nu știm cât de mult va scădea prețul procentual față de maximul atins (30-60%) și când va avea loc, în sfârșit, redresarea prețului acțiunii.

În acest fel, vă păstrați laolaltă valorosul dvs. capital de tranzacționare, care, în cele din urmă, constituie baza tranzacționării dvs.

Să ne gândim la un pas mai departe: aveți o politică strictă de gestionare a riscurilor și este posibil să fi ieșit de pe piață la punctul 1 sau 2. În cursul analizei obișnuite a pieței, veți descoperi apoi că vânzarea nu a mers atât de departe pe cât v-ați temut. Cine vă poate împiedica să reveniți după primele semne de revenire? O primă ocazie de a face acest lucru este oferită, de exemplu, la punctul 3.

Încă o dată: Managementul riscului înseamnă limitarea pierderilor!

Planifică-ți tranzacția și tranzacționează-ți planul! Ce elemente sunt importante pentru gestionarea riscului?

Acum că sunteți atât de intens familiarizat cu limitarea pierderilor și gestionarea riscurilor, este important să concretizați lucrurile după considerațiile generale. Primul pas către o gestionare profesională a riscurilor este planificarea adecvată a unei tranzacții sub aspectul riscului. Pentru a vă face o idee despre ce înseamnă de fapt riscul în tranzacționare și cât de mult risc este permis, vă rugăm să aruncați o privire la următorul tabel:

Pierdere	Recuperare	Rata de recuperare a pierderilor
10%	11.10%	1.11
20%	25.00%	1.25
30%	42.90%	1.43
40%	66.70%	1.67
50%	100.00%	2
60%	150.00%	2.5
70%	233.30%	3.33
80%	400.00%	5
90%	900.00%	10
95%	1900.00%	20

Figura 6: Lungul drum de întoarcere. Acolo unde o primă pierdere mică poate fi recuperată fără prea mult efort, valul începe să se întoarcă odată cu creșterea pierderilor. Odată depășite cele 50%, trebuie să obțineți un profit de cel puțin 100% pentru a reveni la punctul de plecare. Dacă ați pierdut 95% din contul de tranzacționare, aveți nevoie de un profit de 1.900% pentru a vă întoarce la zero.

Ce ne spune acest tabel? Acum știm că tranzacționarea nu înseamnă doar obținerea de profituri. Pierderile fac întotdeauna parte din tranzacționare. Acest lucru este inevitabil și face parte pur și simplu din afacere - costurile de funcționare, ca să spunem așa. După cum știm de la negustorii de marfă eficienți, este de asemenea important pentru noi să menținem costurile cât mai mici posibil. Puteți vedea din tabel ce înseamnă când costurile scapă de sub control, adică, când pierderile preiau controlul.

Să presupunem că aveți un cont de tranzacționare cu un depozit de 10.000 de dolari și că investiți acești 10.000 de dolari într-un singur titlu. În ciuda unei planificări atente, trebuie să acceptați o pierdere de 10% pe acest singur titlu. Ce înseamnă acest lucru pentru contul dumneavoastră de tranzacționare? Ați pierdut exact 1.000 de dolari după pierderea de 10%, care vă lipsește acum din contul dvs. de tranzacționare. Acest lucru înseamnă că veți avea la dispoziție doar 9.000 de dolari pentru următoarea achiziție. Așadar, cumpărați următoarea acțiune pentru un total de 9.000 de dolari. De data aceasta sunteți de partea bună și obțineți un profit de 11% cu tranzacția dumneavoastră. Cu acest câștig de 11%, vă puteți recupera pierderea și vă puteți întoarce la punctul de plecare al contului dumneavoastră.[2] Cu o pierdere de 10% în spate, pentru a obține un profit de 11% în pasul următor și a reveni astfel la valoarea inițială este gestionabil și în limitele posibilităților. Chiar și cu o pierdere de 20%, putem presupune că un trader pe jumătate priceput nu se va lăsa descurajat de acest lucru și va putea recupera această pierdere într-un timp rezonabil. Dar de la o pierdere de 30% încolo, lucrurile încep încet-încet să arate diferit. Cu cât intrați mai mult în zona de pierdere, cu atât mai mare este provocarea de a ieși din ea și de a echilibra din nou cel puțin contul de tranzacționare. Chiar și o pierdere de 50% - fie cu o singură tranzacție sau în total - înseamnă că trebuie să vă dublați contul de tranzacționare pentru a vă întoarce la punctul de plecare.

Presupunând că reușiți să faceți acest lucru, se pune imediat întrebarea: de ce nu v-ați dublat contul de la bun început?

---

[2]   Vă rugăm să rețineți că nu este vorba de un profit de 1.000 de dolari, ci de 990 de dolari. Strict vorbind, procentul de recuperare este de 11, $\overline{11}$ %. Să-l rotunjim aici de dragul simplității. Acest lucru nu schimbă concluziile de bază și păstrăm lucrurile simple. De altfel, am omis, de asemenea, toate costurile de tranzacționare pentru a le lua în considerare.

Cu cât ajungi mai departe în zona de pierdere, cu atât mai greu devine drumul înapoi și te afunzi tot mai mult în incapacitatea de a acționa. Odată ce ați pierdut 80% din contul dvs. de tranzacționare, trebuie să câștigați cu 400% mai mult pentru a compensa. Raportat la contul dvs. cu cei 10.000 de dolari inițiali, acest lucru înseamnă că, cu 2.000 de dolari rămași, trebuie să obțineți un profit de 8.000 de dolari. O performanță matură care vă va include cu siguranță în cercul traderilor de top.

Dacă acest lucru pare imposibil, atunci devine chiar utopic în cazul unei pierderi de 90%. Cine mai obține un profit de 900% sau chiar 1.900% cu ”spatele la zid” aparține categoriei Hall of Fame a traderilor.

Dar, lăsând gluma la o parte, toată chestiunea are un fundal foarte serios. Concluzia care se desprinde de aici este că trebuie să evitați în orice împrejurare să alunecați sub 30% în zona de pierdere. De fapt, este de preferat să rămâi deasupra limitei de pierdere de 20%. Ca să rămânem la exemplul nostru, provocarea pentru dumneavoastră este atunci "doar" să obțineți un profit de 2.000 de dolari cu 8.000 de dolari.

Din acest motiv, factorul cheie în gestionarea riscurilor este riscul asumat în fiecare caz în parte. Să punem acest lucru în practică imediat: Răspundeți la următoarea întrebare și vă rugăm să fiți sincer cu dumneavoastră:

> Cât de mult risc sunt dispus să îmi asum pentru fiecare tranzacție sau poziție?

Bineînțeles, există formule și reguli empirice în acest sens, pe care le vom analiza și mai jos. Dar acum, principalul lucru este să stabiliți o sumă care să fie potrivită pentru dumneavoastră. Acesta este un răspuns pur individual și are de-a face doar cu bunăstarea dumneavoastră personală și există un motiv pentru acest lucru.

Acest lucru se datorează faptului că, în cazul unei pierderi, suma pe care ați specificat-o va fi retrasă din contul dumneavoastră și va fi înregistrată ca pierdere. Acest lucru înseamnă că nu puteți cumpăra o nouă acțiune pentru această sumă. Acest lucru înseamnă că nu puteți pleca în vacanță folosind această sumă. Acest lucru înseamnă, de asemenea, că, în caz de îndoială, această sumă nu este disponibilă pentru nevoile dumneavoastră personale.

Dacă aveți deja dureri abdominale, atunci acesta este un lucru bun. Pentru că este bine să te gândești intens în timpul pregătirii și apoi să acționezi în mod conștient. Așadar, dacă sunteți în vreun fel îngrijorat de capitalul dvs: *Nimeni nu vă obligă să profitați din plin de risc în tranzacționare.*

Numai dacă alegeți o sumă care vă convine și căreia îi puteți face față în cazul unei pierderi, puteți fi sigur că veți lua tranzacția cu îndrăzneală în momentul deschiderii poziției. Și numai cu o cantitate de risc potrivită pentru tine, ești capabil din punct de vedere mental să analizezi situația cu calm și prudență în cazul unei pierderi și să iei decizii profesionale ulterioare.

Deci, doar pentru a fi în siguranță, cât de mult risc sunteți dispus să vă asumați pentru fiecare tranzacție?

Desigur, există și o variantă concretă de determinare a riscului care trebuie asumat, care, în mod ideal, corespunde și considerentelor dumneavoastră în ceea ce privește rezultatul. Pentru a face acest lucru trebuie să analizăm situația dvs. financiară generală. Pentru a determina o valoare optimă a riscului, avem nevoie de o prezentare concretă a activelor dumneavoastră. În practică, definiția activelor este destul de largă. Există voci care socotesc drept active bunurile imobiliare, asigurările, bijuteriile și alte obiecte de valoare. Acest lucru este cu siguranță corect pentru termenul "active", dar nu ne ajută în considerațiile noastre de aici.

Prin urmare, în scopul nostru, dorim să ne ocupăm de toate activele dvs. lichide:

> Cât de multe fonduri lichide sunt disponibile pentru tranzacționarea dumneavoastră?

> Cât de mult din această sumă veți folosi pentru tranzacționare și veți depune în contul dumneavoastră de tranzacționare?

Această abordare dublă, cu un cont de tranzacționare pe de o parte și alte active lichide în rezervă pe de altă parte, are sens, de exemplu, dacă nu doriți să vă umpleți contul de tranzacționare cu 100% din activele dvs. în numerar, dar sunteți practic dispus să le folosiți.

În acest moment, să ne asigurăm că folosiți doar banii pe care îi puteți economisi pentru tranzacționare.

În niciun caz nu ar trebui să vă puneți toate ouăle într-un singur coș, ci să păstrați întotdeauna o rezervă de lichidități cu care să puteți începe din nou tranzacționarea în caz de urgență. Fiți mereu cu ochii pe plățile personale de pensie. Acest lucru face parte, de asemenea, din gestionarea profesională a riscurilor și a banilor!

Așadar, să presupunem că aveți o evidență precisă a lichidităților dvs. și că aveți partea rezervată pentru tranzacționare în contul dvs. de tranzacționare. Să presupunem, de asemenea, că ați depus cei 10.000 de dolari menționați mai sus în contul dumneavoastră de tranzacționare. Acești 10.000 de dolari reprezintă de acum înainte baza pentru considerațiile noastre ulterioare.

În practică, o sumă care depinde de contul de tranzacționare s-a dovedit a fi o modalitate bună de a determina riscul care trebuie asumat. Mulți investitori iau aici o sumă de 1% până la 2% din contul lor de tranzacționare. Bineînțeles, puteți lua și o sumă mai mică de 1%, de exemplu 0,5% din contul de tranzacționare. Acest lucru depinde întotdeauna de mărimea contului dvs. de tranzacționare. Atunci când determinați suma de risc, luați întotdeauna în considerare faptul că o pierdere trebuie, de asemenea, să fie compensată. Și, așa cum am afirmat deja mai sus, cu cât sunteți mai adânc în pierderea totală, cu atât mai lungă și mai dificilă este calea de întoarcere.

Prin urmare, păstrați 2% ca limită superioară maximă a riscului dumneavoastră!

Cu siguranță că în acest moment ați ghicit deja ce înseamnă pentru dumneavoastră această realizare. Discutasem deja despre ce valoare a riscului este cea mai potrivită pentru dumneavoastră fără a cunoaște regula procentuală. Acum, dacă comparați o sumă cu cealaltă:

> Ce sumă este mai mare?

> Ce sumă este cea mai convenabilă pentru dumneavoastră?

> Cu ce sumă vă simțiți mai confortabil? Din punct de vedere mental și financiar?

> Ce sumă de bani vă va permite să dormiți bine chiar dacă rămâneți în poziția dumneavoastră peste noapte?

Luați o decizie. Pentru calculele dumneavoastră, veți găsi mai jos formula pentru suma la risc pe poziție:

*Cont de tranzacționare * Risc în procente = Valoarea riscului*

În ceea ce privește exemplul nostru de cont, acest lucru înseamnă

$$\$10,000 * 1\% = \$100$$

Indiferent de procent, ar trebui să alegeți mai degrabă cantitatea care vă face să vă simțiți bine și vă permite să dormiți bine noaptea. Pentru a calcula suma procentuală din această sumă absolută, trebuie să schimbăm puțin formula:

$$\frac{Valoarea\ riscului}{Valoarea\ riscului} = Riscul\ in\ procente$$

Dacă ați hotărât o sumă de, de exemplu, 75 de dolari ca risc de asumat, atunci acest lucru înseamnă în legătură cu contul dumneavoastră de tranzacționare:

$$\frac{\$75}{\$10,000} = 0.0075 = 0.75\%$$

Determinarea procentului de risc al contului dvs. de tranzacționare este importantă, deoarece această valoare determină suma inițială cu care începeți tranzacționarea. Vă puteți imagina cu ușurință că evoluția contului dvs. de tranzacționare este orice altceva decât statică. Dimpotrivă, dezvoltarea va fi dinamică - în ambele direcții. Alegând o valoare procentuală a riscului, vă asigurați că intrați întotdeauna pe piață cu același risc în raport cu contul dumneavoastră de tranzacționare. Așadar, dacă puteți crește contul de tranzacționare de la 10.000 de dolari cu 10% la 11.000 de dolari, atunci și riscul pe care trebuie să vi-l asumați va crește cu 10%.

Calculul arată astfel:

$$\$11,000 * 1\% = \$110$$

Riscul procentual rămâne neschimbat. Nu și riscul absolut. Riscul absolut evoluează odată cu contul dumneavoastră de tranzacționare. Presupunând că suferiți o pierdere de 10% din contul dvs. de tranzacționare, calculul riscului pentru următoarea tranzacție va arăta astfel:

$$\$9,000 * 1\% = \$90$$

În acest fel, vă asigurați că tranzacționați întotdeauna în limitele corespunzătoare și că riscul dumneavoastră nu devine disproporționat de mare în comparație cu contul de tranzacționare. Pentru că, dacă ați păstra constantă suma absolută, ați deveni foarte repede incapabil de acțiune dacă ați pierde o sumă mai mare de bani per tranzacție.

Chiar dacă vă ghidați după regula de "bun-simț", recomandarea este să o convertiți în suma procentuală din contul dumneavoastră de tranzacționare. Pe măsură ce contul crește, această sumă va crește, bineînțeles, și în termeni absoluți. În cazul unui câștig, suma inițială de 75 de dolari va deveni rapid 80 sau 90 de dolari și sunteți, desigur, liber să reduceți suma procentuală și să rămâneți la suma dorită. Reversul medaliei, însă, este că încetinește literalmente un element esențial al gestionării banilor și, astfel, încetinește creșterea contului dvs. de tranzacționare. Bineînțeles, trebuie să fiți conștient de acest lucru în această procedură.

Pe scurt, putem spune că determinarea procentului de risc în funcție de mărimea contului de tranzacționare în perioadele bune cu profituri crește constant suma absolută la risc, ceea ce, la rândul său, crește contul de tranzacționare. În vremuri proaste, cu mai multe pierderi la rând, determinarea procentuală a riscului încetinește scăderea prin scăderea constantă a sumelor absolute de risc. În acest fel, vă asigurați că rămâneți întotdeauna capabil să acționați și să vă protejați capitalul valoros, chiar și în fazele cu mai multe pierderi - așa-numitele "draw-down phases. "

În acest moment, am putea încheia considerațiile noastre cu privire la riscul care trebuie asumat și am putea trece la următorul punct. Cu toate acestea, haideți să mai rămânem puțin pe acest subiect și, în același timp, să continuăm să ne concentrăm asupra dumneavoastră și a punctelor dumneavoastră forte.

În primul capitol, am abordat întrebarea dacă doriți să tranzacționați în mod agresiv sau defensiv și, de asemenea, ne-am întrebat câtă experiență aveți deja pe piețele și în produsele pe care le tranzacționați. De asemenea, s-a pus întrebarea dacă sunteți orientat mai mult pe termen lung sau pe termen scurt. Au existat motive foarte specifice pentru acest lucru. În acest moment putem reveni asupra acestor puncte. Vă rugăm să vă uitați din nou la răspunsurile dumneavoastră.

De ce are sens să avem răspunsuri concrete pentru noi înșine în ceea ce privește determinarea gradului de risc?

Atunci când determinați suma expusă la risc, trebuie să țineți cont și de circumstanțele dumneavoastră personale. Desigur, contul de tranzacționare constituie baza calculelor dumneavoastră. Cu toate acestea, aceasta este doar o primă recomandare, pe care nu trebuie să o puneți în aplicare în mod rigid, fără întrebări și fără comentarii. Dacă, de exemplu, ați stabilit că ați prefera să tranzacționați defensiv pe piață, atunci merită să luați în considerare reducerea puțin a sumei procentuale de risc - de exemplu, de la 1% la 0,75% sau chiar la 0,5%.

Dacă vă limitați să respectați cu strictețe formula de mai sus, există riscul să nu vă simțiți confortabil în "pielea de investitor " și că tranzacționarea va fi destul de inconfortabilă pentru dumneavoastră încă de la început. Din acest motiv, este important să includeți acest aspect în determinarea riscului.

De asemenea, trebuie să includeți în evaluarea riscurilor experiența dumneavoastră pe piețele sau în produsele pe care le tranzacționați. Imaginați-vă că sunteți complet nou pe piețele financiare. Poate că nu cunoașteți încă sută la sută platforma de tranzacționare, piețele sau produsele și abia începeți să tranzacționați. La fel ca în viața reală, motto-ul este "learning by doing"." Ce înseamnă acest lucru pentru gestionarea riscurilor dumneavoastră? Bineînțeles - păstrați riscul mic! Din nou, calculul procentual este folosit ca o primă orientare. Dar dacă sunteți nou pe un subiect, nu poate exista decât o singură recomandare pentru dumneavoastră: Reduceți-vă riscul! Asumați-vă un risc de 0,5% sau chiar mai mic. Pe măsură ce experiența dvs. crește, puteți apoi să creșteți puțin câte puțin riscul procentual.

La începutul carierei, este important să vă cumpărați experiența de care aveți nevoie cât mai ieftin posibil. Amintiți-vă întotdeauna că nimeni nu vă obligă să tranzacționați la risc maxim. Faceți experiențe până când sunteți absolut încrezător în piețele, strategiile și produsele pe care le-ați ales. Apoi, ajustați-vă în continuare riscul la noul nivel de experiență.

Să lăsăm acum partea teoretică și să ne uităm la partea practică. Acolo, Peter, Anna și Rick așteaptă deja să ne împărtășească gândurile lor. Lăsați-l pe Rick să fie primul care vorbește:

Am doar un mic cont de tranzacționare. Dacă îmi calculez corect riscul, atunci cu un procent de risc de unu la sută din contul de tranzacționare, riscul absolut este de numai 50 de dolari. Nu prea ajung nicăieri cu asta, dar...Sunt sigur că în curând voi putea să îmi asum mai multe riscuri absolute!

Rick este, pe bună dreptate, dezamăgit de valoarea sa absolută de risc. Mulți investitori își încep tranzacționarea cu idei de a obține sume foarte mari-ca profit. Limitarea strictă și constantă a riscului este cea care face ca un trader să aibă succes permanent. Și așa cum spune și Rick: În curând, suma absolută va fi mai mare și atunci vor veni "marile profituri". În ceea ce privește piața de tranzacționare și stilul de tranzacționare, trebuie spus că - mai ales în tranzacționarea pe piața valutară - este posibil să tranzacționați pe termen scurt cu o cantitate relativ mică de risc.

Cum abordează Anna determinarea riscului său?

Cu contul meu de tranzacționare de 25.000 de dolari, pot face cu adevărat o diferență. Riscul meu este de 250 de dolari pe tranzacție și poziție cu un procent de 25.000 de dolari. Pot să mă descurc cu acest lucru, mai ales că oricum planific pentru o perioadă mai lungă de timp în tranzacționarea pozițiilor și nu sunt atât de puternic afectat de fluctuațiile aleatorii ca un trader care acționează pe termen scurt. Mă simt confortabil cu acest lucru și mă gândesc, de asemenea, să îmi cresc riscul la 1,5%, în funcție de situație.

În calitate de trader de poziție, Anna nu va executa la fel de multe tranzacții ca un trader de zi. Evaluarea globală a riscului pentru Anna se va baza, de asemenea, pe o perioadă mai lungă de timp. Atunci când Anna spune că dorește să își crească riscul la 1,5% în funcție de situație, acest lucru pare adecvat pentru stilul său de tranzacționare și pentru contul său.

În cele din urmă, să ascultăm gândurile lui Petru:

Sunt sfâșiat. De fapt, am încredere în mine cu totul. Un risc de 1% din contul meu înseamnă 150 de dolari. Să am sau să nu am. Nu vreau să risc prea mult și ar fi bine să o iau încet. Inițial mă voi seta la un risc de 0,75%. Așadar, riscul meu absolut la început este de maxim 112,50$. Cred că mă pot descurca mai bine.

Peter este rezervat, deși a avut deja experiențe bune cu contul demo. Deoarece Peter se consideră defensiv, această strategie i se va potrivi bine și lui.

Să ne uităm din nou la declarații într-o prezentare tabelară:

	Rick	Anna	Peter
Trading Style	Day Trading	Position Trading	Swing Trading
Account size	$5,000	$25,000	$15,000
Product	Forex	Shares, ETF	Futures
Percentage risk per trade	1%	1% - 1.5%	0.75%
Absolute risk per trade	$50	$250 - $375	up to $112

Figura 7: Prezentare generală a celor trei investitori Rick, Anna și Peter și a conturilor lor inițiale

Să reluăm direct ideea anterioară și să aprofundăm subiectul gestionării riscurilor:

Toate ouăle în același coș?! În acest fel, puteți distinge riscul global de riscurile individuale!

Această secțiune s-ar putea să vă surprindă. Totuși, la o analiză mai atentă, este următorul pas logic în analiza noastră. Până acum, am discutat despre riscul care trebuie asumat, dar acesta se aplică doar pentru fiecare tranzacție și poziție.

Ceea ce este, de asemenea, important pentru planificarea succesului și gestionarea riscurilor este problema riscului global. Încă o dată, aveți acum ocazia să abordați în mod specific o altă întrebare:

> Cât de mult risc global este acceptabil pentru mine?

Înainte de a răspunde ușor aici, vă rugăm să vă gândiți la cât profit aveți nevoie pentru a compensa pierderile.

Este ușor să spui că poți face față unei pierderi de 2%, 3% sau 5%. Sau să vă spuneți: *Pot accepta o pierdere de 1.000 de dolari. Acest lucru este luat în considerare în planificarea mea de risc.*

Dar cum arată atunci când nu mai vorbim despre o singură tranzacție pierdută, ci despre o serie de tranzacții pierdute? Mai poți fi atât de îndrăzneț să spui că și acest lucru a fost calculat?

Trebuie să fiți întotdeauna conștient de faptul că fiecare strategie implică nu doar pierderi individuale, ci și serii întregi de pierderi. Apoi, este perfect normal ca patru, cinci, șase sau chiar mai multe tranzacții pierzătoare să apară la rând. Și apoi pierderile se adaugă la o pierdere totală. Managementul profesional al riscului este, de asemenea și mai ales, solicitat aici. Oricine se poate descurca cu o tranzacție pierzătoare ...dar a face față în mod profesionist unei serii de pierderi este o chestiune complet diferită. Pentru a face acest lucru, este important să aveți un plan cu privire la ceea ce veți face:

1. sumă acceptată ca risc total
2. și ce să facă atunci când se atinge această valoare a riscului total.

Răspunsul la prima întrebare este, din nou, un răspuns foarte individual. Și aici este vorba de "a te simți bine". " Trebuie să puteți face față în orice moment pierderilor acumulate. Un bun indicator al nivelului acceptabil al pierderilor totale este, de altfel, familia sau soțul/soția dumneavoastră. Vă puteți imagina să abordați în mod deschis pierderile dvs: Dragă *în prezent am o pierdere de 15.000 de dolari în contul meu de tranzacționare...*

Dacă nu, atunci, în orice caz, știți deja ce sumă este prea mare. Ceea ce se citește în glumă la început este, din păcate, adesea adevărul amar. Pentru a intensifica efectele neplăcute, la pierderea financiară se adaugă partea psihologică suplimentară. Dacă pierderile totale devin prea mari, nu veți fi doar incapabil din punct de vedere financiar, ci și din punct de vedere mental. Există atunci pericolul să intrați în șoc, ca să spunem așa, și să ratați oportunitățile de tranzacționare care v-ar putea scoate din calea pierderilor. În acest caz, nu numai că vă lipsește baza financiară pentru a acționa, ci și încrederea în piață, în strategia dumneavoastră și, în cele din urmă, în dumneavoastră.

Din acest moment, există un mare pericol fie să renunțați la tranzacționare - ceea ce ar fi păcat - fie să vă vină ideea de a vă "răzbuna" pe piață și, cu curajul disperării, *să aruncați bani buni după bani răi* - ceea ce ar fi, de asemenea, păcat.

Din acest motiv, este important să efectuați o gestionare profesionistă a riscurilor și să vă gândiți cu seriozitate la pierderile globale care sunt acceptabile și suportabile din punct de vedere financiar și psihic pentru dumneavoastră.

Din nefericire, nu există o regulă de bază care să poată fi prezentată aici. În practică, există investitori pentru care a cincea pierdere consecutivă reprezintă sfârșitul, alții își trag limita la pierderea totală de 10% din contul lor de tranzacționare deja menționată. După cum s-a spus deja, este o decizie pur individuală.

Următoarea întrebare care urmează este ce trebuie să faceți atunci când limita de pierdere este atinsă. Mulți investitori se opresc apoi imediat din tranzacționare și încep să analizeze piața și propria lor tranzacționare. Dacă experimentați o serie de pierderi, atunci vi se recomandă același lucru.

Motivul este simplu. Dacă strategia dvs. de tranzacționare dovedită eșuează brusc de mai multe ori la rând, atunci ceva este diferit de obicei. Acest lucru se poate datora pieței, dar și dumneavoastră. În circumstanțele date, tranzacționarea atunci nu mai are niciun sens. În schimb, ar trebui să căutați cauzele. Analizați piața de tranzacționare, metodologia și/sau condiția dvs. personală și faceți o pauză până când condiția dvs. interioară, piața și metodologia dvs. se potrivesc din nou.

Prin urmare, gestionarea riscului nu înseamnă doar limitarea riscului unei singure poziții, ci și gândirea în avans a modului în care doriți să faceți față unei serii de pierderi și a momentului în care doriți să vă întrerupeți temporar tranzacționarea.

Pentru a completa imaginea, trebuie să analizăm alte două aspecte ale riscului global.

Imaginați-vă că sunteți un trader de poziție ca Anna. Piața se comportă bine și ați investit pe deplin în piață cu contul dvs. de tranzacționare. Aveți zece acțiuni în portofoliu, de care sunteți 100% convins. La ce trebuie să fiți atenți?

Atunci când vă planificați pozițiile globale, trebuie, desigur, să țineți cont și de riscul global al portofoliului dumneavoastră! Mai ales dacă doriți să acționați ca swing sau position trader pe termen lung. Atunci când vă planificați riscul global, luați întotdeauna în considerare calea de întoarcere. Mai ales când vine vorba de riscul global, nu trebuie să vă riscați *capacitatea de a acționa*. Acest lucru este deosebit de important având în vedere impresiile din ultimii ani, când am avut deja parte de două prăbușiri ale pieței globale în succesiune rapidă. Stabiliți o sumă acceptabilă pentru dvs. și, când această sumă este atinsă, ieșiți de pe piață și lichidați-vă pozițiile. Urmăriți apoi activitatea "nervoasă" a participanților rămași pe piață, relaxați-vă de pe margine și căutați oportunități de intrare profitabile atunci când furtuna a trecut. Atunci când ceilalți încă își verifică neîncrezători conturile bancare micșorate, dumneavoastră ați intrat din nou pe piață cu aproape toată forța. Acesta este un management profesionist al riscului!

Cu aceste considerații la zi, marea majoritate a investitorilor își încheie evaluarea riscurilor și se aruncă în tranzacționare. Unul pe termen scurt, ca trader pe parcursul zilei, iar celălalt pe termen lung, ca trader de poziție. În acest context, însă, mai trebuie să luăm în considerare un ultim aspect al gestionării riscurilor.

Am afirmat deja mai sus că, în practică, un risc pe tranzacție și poziție de 1%-2% din contul de tranzacționare s-a dovedit a fi o practică bună. Dar oare acest lucru se aplică și la toate stilurile de tranzacționare?

Să presupunem că doriți să fiți un trader pe parcursul zilei. Atunci cum rămâne cu procentul de mărime a poziției dumneavoastră? Se aplică și aici regula de bază de 1%-2% din contul de tranzacționare? Probabil că nu. Trebuie să aveți întotdeauna în vedere referința temporală. Un trader intraday are o frecvență de tranzacționare diferită de cea a unui trader de poziție. Traderul de poziție convertește o fracțiune din tranzacțiile unui trader intraday. Desigur, cei doi nu își pot asuma aceleași riscuri - nici în procente, nici în termeni absoluți.

Imaginați-vă asta în cifre. Să presupunem că aveți un cont de tranzacționare cu un depozit de 100.000 de dolari și doriți să acționați ca trader intraday. Doriți să vă asumați 1.000 de dolari ca risc absolut pe tranzacție? După o serie de pierderi de cinci tranzacții la rând, aveți - rotunjit aproximativ: o pierdere totală de 5.000 de dolari sau 5%. Dacă tranzacționați pe graficul de 1 minut, nu veți avea nevoie de zece minute pentru a tranzacționa în cel mai rău caz. Indiferent de nervii pe care îi veți avea după aceea, această abordare este o modalitate bună de a elimina un cont de tranzacționare într-o perioadă scurtă de timp.

Așadar, cu cât acționați pe termen mai scurt pe piață, cu atât mai mic este riscul procentual pe care trebuie să vi-l asumați pentru fiecare poziție. Numărul mare de tranzacții posibile doar în tranzacțiile pe termen scurt înseamnă că, în caz contrar, riscați să mențineți riscul global disproporționat de ridicat. În schimb, puteți crește ușor procentul de risc cu cât doriți să fiți activ pe piață pentru mai mult timp. Acest lucru se datorează pur și simplu faptului că, în cazul investițiilor pe termen lung, puteți executa mai puține tranzacții în cursul anului decât un trader orientat pe termen scurt.

Și, bineînțeles, așa cum am menționat deja în primul capitol, gestionarea profesionistă a riscului include, de asemenea, să nu investești întregul cont de tranzacționare într-o singură acțiune sau piață, ci mai degrabă - și aici intervine riscul procentual pe poziție în combinație cu riscul global - să ai parte de o diversificare rezonabilă a portofoliului tău. Acest lucru înseamnă că în portofoliul dumneavoastră este compus din industrii diverse, țări, regiuni și, în mod ideal, și perechi valutare .

Acest lucru înseamnă că acum putem încheia reflecțiile noastre asupra managementului riscurilor și ne putem îndrepta din nou spre partea practică. Ce spun cei trei investitori ai noștri? Să începem imediat cu Rick:

În calitate de comerciant de zi pe piața valutară, mă simt mai puțin jenat să mă gândesc la o structură de portofoliu. Dar ceea ce mi se pare important este să fiu atent să nu tranzacționez accidental în aceeași direcție cu perechi diferite în același timp. Sunt atent să tranzacționez perechi valutare care nu sunt egale și în linie una cu cealaltă. Altfel, am decis să iau o pauză pentru restul săptămânii după ce am pierdut cinci tranzacții la rând. Dacă se întâmplă acest lucru, intru într-o analiză intensivă. Ca risc global maxim, consider că 15% din contul de tranzacționare este realist. Dacă acesta este atins, voi încheia cu siguranța luna. În schimb, trec apoi la un cont demo pentru a-mi îmbunătăți abilitățile fără niciun risc suplimentar. Dar, din moment ce vreau să câștig, acesta este doar un considerent teoretic pentru mine...

Rick are dreptate în evaluarea sa. Și pe piața valutară există perechi de valute care merg în linie cu altele, care ar trebui tratate de fapt ca o singură tranzacție și care ar trebui să suprasolicite managementul riscului. Riscul global de 15% corespunde evaluării sale agresive. Este important ca Rick să ia o pauză atunci când ajunge la cei 15%, să efectueze o analiză intensivă a pieței și să se întrebe pe sine și acțiunile sale. O idee interesantă este să continue să tranzacționeze, dar să folosească un cont demo. Astfel, Rick rămâne activ pe piață, dar nu-și mai asumă riscuri suplimentare.

Care este concepția riscului global pentru Anna?

Rămân la riscul global clasic de 10%. Îmi place observația despre diversificare și voi ține cont de ea în analiza mea. În acest fel, evit riscul de a investi prea mult într-o singură industrie sau într-un singur domeniu de activitate economică. Oricum, voi face analiza retrospectivă după fiecare tranzacție și voi observa cu regularitate piețele în weekend. Pentru mine, un risc total de 10% este mai mult o limită decât numărul de pierderi la rând. Odată ce ajung la 10%, voi lua cu siguranță o pauză pentru luna de tranzacționare.

În timp ce Anna se mișcă pe graficul săptămânal ca trader de poziție, ea are un obiectiv pe termen lung. Dacă se oprește din tranzacționare după atingerea limitei de pierdere de 10% sau după un anumit număr de pierderi consecutive este, bineînțeles, decizia ei.

În cele din urmă, să ne uităm peste umărul lui Peter:

Asta e una fierbinte. Cred că dacă ar trebui să mărturisesc familiei mele că tocmai am pierdut 1.500 de dolari, mi-ar fi greu. E mai probabil să trag de mânecă pentru mine. Pentru mine, luna de tranzacționare s-a încheiat cu siguranță după o pierdere totală de 5%. De asemenea, trebuie să fac față unei pierderi de 750 de dolari în primul rând de unul singur. Nu vreau să se întâmple așa ceva. De fapt, am deja un sentiment rău după patru pierderi la rând. Apoi trebuie să mă așez și să analizez strategia mea și piețele. Fac același lucru cu contul demo, astfel încât să pot vedea imediat când ideile mele de tranzacționare și piețele se potrivesc din nou, în timp ce rămân în formare.

Peter este defensiv și acordă atenție zonei sale personale de confort financiar și mental. Acest lucru îi asigură că rămâne stabil din punct de vedere emoțional, încrezător în luarea deciziilor și capabil să acționeze.

Ne putem completa prezentarea tabulară:

	Rick	Anna	Peter
Overall risk in percentage	15%	10%	5%
Overall risk in US Dollar	$750	$2.500	$750

Figura 8: Riscurile generale ale investitorilor noștri Peter, Anna și Rick dintr-o privire

Am discutat acum în detaliu despre limitarea pierderilor și minimizarea riscurilor. Devine clar că, în tranzacționare, trebuie să vă protejați în orice caz împotriva riscului individual al unei poziții, dar că trebuie să fiți atenți și la riscul global.

Până acum, acestea au fost idei și concepte mai degrabă abstracte. Să mergem acum mai departe și să analizăm metodele și posibilitățile care vă sprijină în proiectarea profesională a gestionării riscurilor.

Întotdeauna prețul acțiunilor coboară: Cum să vă protejați poziția dvs. împotriva pierderilor! Gestionarea riscurilor înseamnă limitarea pierderilor. Sperăm că ați interiorizat acum acest principiu și că vă va ajuta în tranzacționare să vă protejați și să vă mențineți baza financiară. Cu toate acestea, acest principiu singur vă va ajuta doar într-o măsură limitată. Pentru că ceea ce știți acum este că vă limitați riscul doar în măsura în care va trebui să ieșiți din poziția dumneavoastră la un moment dat. Dar asta nu prea sună încă ca un plan. În etapa următoare, dorim să determinăm când se atinge punctul în care nu mai are sens să vă mențineți poziția și trebuie să puneți capăt tranzacției.

În acest scop, este important să rețineți că tranzacționarea se bazează pe probabilități. Deoarece nu putem prezice viitorul - am ajuns deja atât de departe în considerațiile noastre - trebuie să ne orientăm în mod inevitabil după probabilități. Atunci când analizăm o acțiune sau o piață, totul se reduce, în cele din urmă, la o singură întrebare: În ce direcție (crescătoare/descrescătoare) se va mișca în continuare acțiunea sau piața cu cea mai mare probabilitate? Aceasta este concluzia. Există o serie de metode de analiză pentru aceasta, care se situează undeva între artă, știință și ezoterism. Ceea ce au toate în comun este obiectivul de a putea face o afirmație cu privire la probabilitatea ca o piață să se miște în continuare într-o direcție sau alta. Acest lucru este, evident, destul de vag, desigur, și tocmai de aceea practicați o gestionare strictă a riscurilor - și anume, pentru a limita pierderile în cazul în care piața ia o direcție greșită pentru dumneavoastră, contrar probabilității mai mari presupuse.

Acum, atunci când planificați o tranzacție, apare deja următoarea întrebare: În ce moment nu mai este probabil ca acțiunile sau piața să ia direcția pe care o preferați?

Prin urmare, atunci când vă gândiți dacă să efectuați o tranzacție, trebuie să luați o decizie bazată mai degrabă pe probabilități decât pe fapte. Dacă decideți apoi să intrați pe piață, luați în același timp o decizie în condiții de incertitudine. Incertitudinea constă aici în faptul că nu știți dacă tranzacția va fi câștigătoare sau perdantă. Pur și simplu nu puteți ști. Trebuie să vă mulțumiți cu probabilitățile. Dar dacă acestea sunt atunci și adevărate, pur și simplu tot nu știți.

În calitate de investitor profesionist, sarcina dumneavoastră este să transformați incertitudinea care există în tranzacționare în certitudine în planificarea dumneavoastră. Această certitudine constă în faptul că știți că fie câștigați, fie pierdeți. Vă puteți asuma acest lucru fără cea mai mică îndoială în avans.[3]Putem admite în continuare această certitudine. Ce puteți spune deja cu certitudine absolută prin pregătirile dumneavoastră?

Când deschideți o tranzacție, știți deja ce puteți pierde cel mult în condiții normale. Ați determinat deja această sumă. Această sumă este sigură pentru dumneavoastră.

Acum, tot ce trebuie să faceți este să încorporați aceste considerente în planificarea dvs., punând lucrurile cap la cap:

1. Planificați o tranzacție pe baza probabilităților. Prin urmare, trebuie să existe un punct în care probabilitatea ca ideea dvs. să funcționeze nu mai este sigură - adică zero.

2. În acest moment, cunoașteți valoarea maximă pe care ați pierdut-o, ceea ce reprezintă riscul dumneavoastră fix pe tranzacție.

Acest punct reprezintă stop loss-ul inițial, pe care îl stabiliți atunci când planificați o poziție și îl plasați pe piață după deschiderea tranzacției. Acesta este punctul în care vă realizați pierderile și tranzacția este închisă fără ezitare.

Există mai multe moduri de a determina stop loss-ul. Investitorii pe termen lung, în special, spun adesea că nu doresc să se bazeze atât de precis pe un preț, ci mai degrabă pe elementele fundamentale. Acest lucru este periculos în sensul că este posibil ca piața să fi scăzut deja puternic în momentul în care fundamentele s-au schimbat semnificativ. Am vorbit deja despre acest lucru.

Apoi, există trader care stabilesc opriri procentuale. De exemplu, ei spun: *"După o pierdere de 5%, mă voi retrage din acțiune!"*. Acest lucru este, desigur, foarte general și poate fi în mijlocul unei corecții, ceea

---

[3] Nu luăm în considerare o analiză în care ieșirea are loc la prețul de intrare. Acest lucru ar necesita o gestionare activă a poziției și, prin urmare, o intervenție în tranzacție.

ce nu pune neapărat în pericol ideea inițială și nu pune sub semnul întrebării probabilitatea de succes. Ar fi păcat dacă ar trebui să ieșiți dintr-o poziție în mijlocul unei corecții. Același lucru este valabil și în cazul în care luați un stop loss absolut sub forma unei sume fixe de bani în loc de un stop loss procentual. O astfel de abordare generală nu s-a dovedit în practică și, de asemenea, conduce în mod regulat la rezultate suboptime.

Pe de altă parte, în practică, stop-loss-urile în funcție de criteriile din grafic s-au dovedit a fi eficiente. Această procedură are avantajul că nu numai intrarea pe piața de capital, ci și ieșirea pot fi determinate în funcție de criterii grafice. Vă rugăm să profitați de această ocazie pentru a alege orice grafic doriți. Ce vedeți?

Veți constata că un preț se mișcă în oscilații regulate. Merge într-o direcție, apoi din nou în cealaltă, doar pentru a merge din nou în direcția inițială în următoarea oscilație. Dacă în acest fel se creează în mod regulat noi maxime, urmate de minime în creștere, vorbim de un trend ascendent. Pe de altă parte, vorbim de un trend descendent atunci când, odată cu oscilațiile, se ating constant noi minime, urmate de maxime tot mai mici. Figurile 9 și 10 prezintă aceste mișcări de oscilații în cadrul modelului:

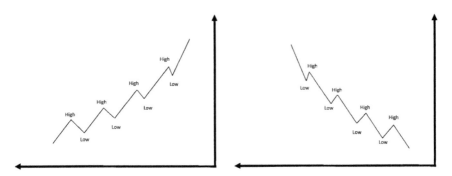

Figura 9 și 10: O tendință ascendentă cu maxime și minime mai mari și o tendință descendentă cu maxime și minime mai mici.

Până în acest moment, am presupus întotdeauna că, în calitate de cumpărător, tranzacționați într-un trend ascendent. Bineînțeles, puteți tranzacționa și în direcția opusă - adică în calitate de vânzător într-un trend descendent. Pentru ceea ce s-a spus, acest lucru înseamnă, în cele din urmă, același lucru cu semne diferite. Pentru a nu complica inutil lucrurile, dorim să menținem această ipoteză inițială în viitor.

Analiza grafică este deosebit de utilă pentru a determina în ce direcție va merge cel mai probabil un preț în următoarea sa mișcare. Puteți utiliza apoi un grafic pentru a determina punctul în care devine improbabil ca prețul să se deplaseze într-o anumită direcție.

În cazul unui trend ascendent, de exemplu, putem spune că probabilitatea ca trendul să continue este aproape de zero în momentul în care prețul a depășit ultimul Higher Low. Secvența de Higher Highs ascendente și de Higher Lows ascendente s-a încheiat astfel efectiv. Aici vă puteți plasa stop loss-ul.

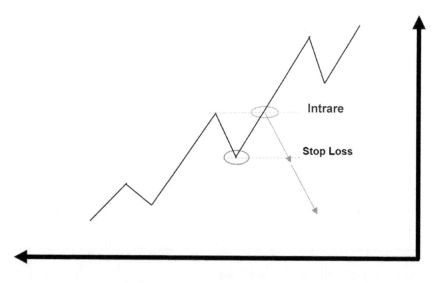

Figura 11: Intrarea și stop loss în model. Stop loss este setat atunci când nu mai există probabilitatea ca ideea de tranzacționare să funcționeze. Atunci când

*ultimul minim este depășit, secvența de maxime și minime în creștere se încheie,
iar tendința este cel puțin amenințată.*

Cum poate arăta în practică plasarea unui stop loss? Pentru aceasta,
analizăm indicele industrial Dow Jones:

*Figura 12: DOW JONES INDUSTRIAL INDEX, grafic zilnic (o lumânare
= o zi). Indicele Dow Jones a scăzut până la punctul 1 și apoi revine până la
zona de rezistență de la punctul 2, unde indicele se corectează până la punctul
3 și apoi crește în continuare. S-a stabilit o nouă tendință ascendentă în urma
acestei depășiri. Sursa: www.tradingview.com*

Majoritatea traderilor doresc să intre într-o nouă tendință cât mai
devreme posibil. După ce a marcat un minim la punctul 1, indicele
industrial Dow Jones a crescut până la nivelul de rezistență de la
punctul 2. Așa cum era de așteptat, indicele a scăzut din nou de
acolo. Pentru a continua tendința descendentă, indicele ar fi trebuit
să depășească punctul 1. Dar nu a făcut acest lucru. În schimb,
corecția s-a oprit la punctul 3, formând un minim mai ridicat decât
cel din punctul 1. În mod evident, participanții de pe piață nu doresc
să își vândă pozițiile în acest punct și se pare că există o putere de

cumpărare suplimentară din partea altor participanți de pe piață. La punctul 3, Dow Jones începe să crească din nou. Pentru a intra devreme în tendința de început, punctul 2 este o bună orientare. Un bun punct de intrare ar fi traversarea ultimului maxim din punctul 2 și o depăşire simultană a rezistenței.

În acest fel, am fi determinat deja punctul de plecare.

În continuare, trebuie să determinăm în ce punct al graficului nu mai are sens să speculăm pe o creştere suplimentară a prețurilor. Acesta este punctul 3 de pe graficul Dow Jones, iar dacă indicele scade sub acest punct, indicele va porni să marcheze un nou minim sub cel anterior. Acest punct formează stop loss-ul nostru. În cazul în care acest punct este depăşit, vom ieşi din poziția noastră pentru a evita pierderi majore.

Acum ştiți când să intrați în poziție și ştiți, de asemenea, când ar trebui să se execute

stop loss-ul și puteți ieşi din nou de pe piață. Deoarece în practică, din păcate, există în mod regulat o diferență între a şti şi a face, recomandarea urgentă pentru dumneavoastră este să plasați stop loss pe piață imediat după deschiderea poziției. Acest lucru nu este un moft în ceea ce priveşte platformele de tranzacționare de astăzi şi poate fi făcut de fapt deja prin plasarea ordinului de intrare. Acest lucru are două avantaje pentru dumneavoastră: Sunteți uşurat atât din punct de vedere mental, cât şi temporal, deci nu trebuie să stați în fața PC-ului toată ziua şi nu riscați să ezitați sau să doriți să reinterpretați graficul în momentul acțiunii.

În ceea ce priveşte stop losses, este important să rețineți că, în niciun caz, acestea nu pot fi scoase de pe piață sau schimbate în dezavantajul dumneavoastră. Un stop loss serveşte drept limitare personală a pierderilor şi vă protejează împotriva pierderilor neplanificate. Chiar dacă - şi acest lucru se întâmplă în mod regulat - sunteți atât de nefericit t încât părăsiți piața exact la punctul cel mai de jos, este totuşi mai bine decât să fiți nefericit atunci când piața se prăbuşeşte.

Puteți găsi o nouă intrare în orice moment. Un nou început, pe de altă parte, este puțin probabil.

Astfel, am discutat aproape toate componentele de care aveți nevoie pentru planificarea profesională a unei tranzacții sub aspectul riscului. Să rezumăm acum considerațiile individuale pregătite de noi și să le folosim pentru a determina cât de mult capital doriți, puteți sau puteți folosi pentru o tranzacție.

Totul pe o singură carte? Cum determinați dimensiunea optimă a poziției dumneavoastră pe piața de acțiuni!

Pe lângă definirea riscului care trebuie asumat, determinarea dimensiunii optime a poziției este unul dintre cele mai importante elemente ale gestionării riscului.

Din păcate, mulți trader nu sunt conștienți de acest lucru și iau o poziție prea mare în raport cu contul lor de tranzacționare. Vă asumați, fără să știți, un risc mai mare decât ați planificat inițial. Din acest motiv, determinarea profesională a dimensiunii optime a poziției este factorul decisiv în gestionarea riscului și, în același timp, reprezintă legătura dintre riscul planificat de noi și stop loss.

S-ar putea să vă gândiți: *"Stați puțin; cu riscul, am stabilit deja totul, iar cu stop loss știu când voi ieși din tranzacție". Ce naiba mai e și asta?!* De fapt, tocmai acest considerent este cel care îi deosebește pe traderii de succes de ceilalți. La urma urmei, cu același sistem, aceeași strategie și aceleași condiții, dimensiunea poziției este cea care determină dacă la sfârșitul zilei de tranzacționare apare un număr aritmetic verde sau roșu. Prin urmare, haideți să comparăm diferite modalități de determinare a mărimii poziției pentru a găsi cea mai bună pentru dumneavoastră.

Există mai multe posibilități de determinare a dimensiunii optime a poziției. Cea mai simplă este, bineînțeles, de a pune totul pe o singură carte și de a umple contul de tranzacționare complet cu o singură acțiune. Am discutat deja mai multe motive pentru care acest lucru nu este, de obicei, o idee bună.

O altă modalitate de a uşura viața traderului este să cumpărați întotdeauna acelaşi număr de unități ale unei acțiuni. Mai ales dacă tranzacționați doar câteva piețe în mod regulat, acest obicei se instalează rapid. De exemplu, dacă tranzacționați pe piața valutară, acest lucru poate însemna că tranzacționați întotdeauna 50.000 EUR împotriva a 50.000 USD.[4] Este posibil chiar să aveți această sumă deja fixată în platforma dvs. de tranzacționare şi, indiferent de considerațiile dvs. anterioare, veți tranzacționa întotdeauna această sumă. Sau puteți tranzacționa exclusiv acțiunea XY-Inc. şi să cumpărați întotdeauna 100 de acțiuni pe piață. Indiferent care este prețul acțiunii, există întotdeauna100 de acțiuni.

Să ne uităm la exemplu. Rămânem la contul nostru de tranzacționare stabilit şi acceptat de 10.000 de dolari. Ca risc, nu dorim să depăşim 1% din contul nostru de tranzacționare. Stop loss-ul este stabilit de noi din punct de vedere tehnic şi rămâne pe piață până când fie este declanşat, fie vindem cu profit. Vrem să ne uşurăm situația şi cumpărăm întotdeauna 10 acțiuni XY-Inc. Acest lucru ar trebui să fie cumva posibil cu managementul nostru de risc. Efectuăm zece tranzacții şi putem privi înapoi la cinci câştigători şi cinci perdanți după aceea.

---

[4]   În tranzacționarea pe piața valutară sau Forex, tranzacționarea se face în marjă. Pentru a tranzacționa 50.000 EUR contra 50.000 USD, brokerului dumneavoastră i se cere un depozit în marjă semnificativ mai mic decât cel tranzacționat efectiv pe piață.

Rezultatele sunt prezentate în tabelul următor:

Pos	Entry	Stop loss	Points until stop loss	Shares	Risk	Positionsize	Exit	Points	Sum	Account
										$10,000.00
1	100	85	15	10	$150.00	$1,000.00	85	-15	-$150.00	$9,850.00
2	110	100	10	10	$100.00	$1,100.00	125	15	$150.00	$10,000.00
3	140	120	20	10	$200.00	$1,400.00	120	-20	-$200.00	$9,800.00
4	120	105	15	10	$150.00	$1,200.00	105	-15	-$150.00	$9,650.00
5	135	115	20	10	$200.00	$1,350.00	165	30	$300.00	$9,950.00
6	160	145	15	10	$150.00	$1,600.00	185	25	$250.00	$10,200.00
7	185	175	10	10	$100.00	$1,850.00	175	-10	-$100.00	$10,100.00
8	185	170	15	10	$150.00	$1,850.00	205	20	$200.00	$10,300.00
9	95	90	5	10	$50.00	$950.00	103	8	$80.00	$10,380.00
10	110	100	10	10	$100.00	$1,100.00	100	-10	-$100.00	$10,280.00
										$10,280.00

Figura 13: Rezultatele a 10 tranzacții la rând, alocarea arbitrară a câștigătorilor și a pierzătorilor. Numărul de acțiuni tranzacționate rămâne întotdeauna constant.

În figura 13 se poate observa că am obținut un rezultat global pozitiv. Aceasta este vestea bună care vine cu un mare DAR. Pentru că, dacă intrăm în detalii, pericolele acestei abordări generale ies la iveală. Am presupus că vom cumpăra în mod constant 10 acțiuni ale XY-Inc. și vom determina stop loss în funcție de criterii tehnice. Rezultă astfel puncte de stop loss, care pot fi mai departe de intrare, dar și mai aproape. În consecință, riscul variază uneori aproape de așteptările noastre și alteori nu. Astfel, există poziții în care ne asumăm jumătate din riscul planificat și există poziții în care acesta este apoi din nou dublat.

Acest lucru nu poate fi optim și bineînțeles că nu este. Acest lucru devine deosebit de clar atunci când avem doar patru câștigători în loc de cinci.

Să presupunem, de exemplu, că tranzacția numărul opt nu este câștigătoare, ci perdantă. Cum ar arăta atunci rezultatul?

Pos	Entry	Stop loss	Points until stop loss	Shares	Risk	Positionsize	Exit	Points	Sum	Account
										$10,000.00
1	100	85	15	10	$150.00	$1,000.00	85	-15	-$150.00	$9,850.00
2	110	100	10	10	$100.00	$1,100.00	125	15	$150.00	$10,000.00
3	140	120	20	10	$200.00	$1,400.00	120	-20	-$200.00	$9,800.00
4	120	105	15	10	$150.00	$1,200.00	105	-15	-$150.00	$9,650.00
5	135	115	20	10	$200.00	$1,350.00	165	30	$300.00	$9,950.00
6	160	145	15	10	$150.00	$1,600.00	185	25	$250.00	$10,200.00
7	185	175	10	10	$100.00	$1,850.00	175	-10	-$100.00	$10,100.00
8	185	170	15	10	$150.00	$1,850.00	170	-15	-$150.00	$9,950.00
9	95	90	5	10	$50.00	$950.00	103	8	$80.00	$10,030.00
10	110	100	10	10	$100.00	$1,100.00	100	-10	-$100.00	$9,930.00
										$9,930.00

Figura 14: Rezultatele se deteriorează semnificativ dacă tranzacția numărul opt devine o tranzacție pierzătoare în loc de una câștigătoare.

Dacă luăm profitul de la o operaţiunea câştigătoare din rezultat şi îl transformăm într-un perdant, situaţia generală a contului se transformă.Ceea ce nu reprezintă o surpriză. Nu numai că nu ne lipseşte profitul aici, dar pierdem. În plus, ajungem să avem o pierdere totală şi trebuie să constatăm o valoare negativă a portofoliului.

Cum arată rezultatul dacă obţinem un rezultat neutru în loc de o pierdere cu tranzacţia cu numărul opt - de exemplu, dizolvăm poziţia "break-even"?

Pos	Entry	Stop loss	Points until stop loss	Shares	Risk	Positionsize	Exit	Points	Sum	Account
										$10,000.00
1	100	85	15	10	$150.00	$1,000.00	85	-15	-$150.00	$9,850.00
2	110	100	10	10	$100.00	$1,100.00	125	15	$150.00	$10,000.00
3	140	120	20	10	$200.00	$1,400.00	120	-20	-$200.00	$9,800.00
4	120	105	15	10	$150.00	$1,200.00	105	-15	-$150.00	$9,650.00
5	135	115	20	10	$200.00	$1,350.00	165	30	$300.00	$9,950.00
6	160	145	15	10	$150.00	$1,600.00	185	25	$250.00	$10,200.00
7	185	175	10	10	$100.00	$1,850.00	175	-10	-$100.00	$10,100.00
8	185	170	15	10	$150.00	$1,850.00	185	0	$0.00	$10,100.00
9	95	90	5	10	$50.00	$950.00	103	8	$80.00	$10,180.00
10	110	100	10	10	$100.00	$1,100.00	100	-10	-$100.00	$10,080.00
										$10,080.00

Figura 15: Cu un rezultat neutru pentru tranzacţia numărul opt, vom reveni cel puţin la profitabilitate.

În loc să ne asumăm o pierdere, putem ieși dintr-o tranzacție cu zero. Mulți traderi fac acest lucru atunci când profitul era deja în cărți, dar piața și-a pierdut brusc impulsul înainte ca profitul să poată fi protejat. În această situație, mulți investitori caută o ieșire înainte ca fostul potențial câștigător să devină un adevărat perdant.

Vedem că rezultatele sunt destul de modeste. Bineînțeles, distribuția câștigătorilor și a perdanților este pur arbitrară. Dar este exact ceea ce experimentăm în fiecare zi în tranzacționare. Și trebuie să obțineți ce e mai bun din aceste condiții arbitrare!

Per ansamblu, strategia cantităților fixe poate fi profitabilă atâta timp cât generăm operațiuni câștigătoare în majoritatea cazurilor. Cu toate acestea, de îndată ce înregistrăm pierderi în majoritatea operațiunilor, această strategie poate genera rapid pierderi disproporționate. Acest lucru se datorează în special faptului că riscul pe poziție variază. Prin urmare, cu această abordare suntem mai aproape de jocurile de noroc decât de tranzacționarea profesionistă. Pericolul deosebit al acestei abordări este că trebuie să ne asumăm un risc prea mare dacă stop loss-ul este prea îndepărtat. O pierdere asociată cu aceasta ne poate pune apoi rapid într-o stare de eșec. Un alt punct care trebuie criticat în ceea ce privește numărul fix de unități este lipsa flexibilității în ceea ce privește modificările sumelor alocate din contul de tranzacționare.

Așadar, știm că un număr fix de titluri de valoare achiziționate produce rezultate mai moderate. Poate că ar fi mai bine dacă am varia numărul de titluri de valoare și, în schimb, am cumpăra întotdeauna titlurile dorite pentru aceeași sumă de capital bănesc, astfel încât să alegem întotdeauna aceeași dimensiune a poziției. Astfel, riscul este limitat efectiv la suma investită.

Să presupunem din nou, ca exemplu, că întotdeauna punem 10% din contul nostru de tranzacționare de 10.000 de dolari într-o singură poziție. Așadar, cumpărăm întotdeauna acțiuni ale XY-Inc. cu o valoare de 1.000 de dolari. Cu toate acestea, deoarece nu există jumătăți de acțiuni, rotunjim în jos.

Cum sunt rezultatele cu aproximativ aceeași dimensiune a poziției?

Pos	Entry	Stop loss	Points until stop loss	Shares	Risk	Positionsize	Exit	Points	Sum	Account
										$10,000.00
1	100	85	15	10	$150.00	$1,000.00	85	-15	-$150.00	$9,850.00
2	110	100	10	9	$90.00	$990.00	125	15	$135.00	$9,985.00
3	140	120	20	7	$140.00	$980.00	120	-20	-$140.00	$9,845.00
4	120	105	15	8	$120.00	$960.00	105	-15	-$120.00	$9,725.00
5	135	115	20	7	$140.00	$945.00	165	30	$210.00	$9,935.00
6	160	145	15	6	$90.00	$960.00	185	25	$150.00	$10,085.00
7	185	175	10	5	$50.00	$925.00	175	-10	-$50.00	$10,035.00
8	185	170	15	5	$75.00	$925.00	205	20	$100.00	$10,135.00
9	95	90	5	10	$50.00	$950.00	103	8	$80.00	$10,215.00
10	110	100	10	9	$90.00	$990.00	100	-10	-$90.00	$10,125.00
										$10,125.00

Figura 16: După 10 tranzacții la rând și 5 câștigători și 5 pierzători, avem un rezultat pozitiv și aici.

Am lăsat intrarea, stop loss și ieșirea neschimbate și am fixat doar mărimea poziției. Mărimea poziției modifică apoi nu numai numărul de acțiuni achiziționate, ci și riscul asociat pe poziție. De asemenea, aici ne aflăm în mod regulat peste și sub valoarea dorită de 1%. Ca urmare, ne asumăm riscuri disproporționat de mari, pe de o parte, și folosim în mod disproporționat de puțin oportunitățile noastre, pe de altă parte. Putem observa că rezultatul global rămâne sub numărul fix de unități, ceea ce se datorează parțial numărului redus de unități pe tranzacție.

Cum ar arăta rezultatele dacă am declara că și în acest caz tranzacția cu numărul opt este perdantă?

Pos	Entry	Stop loss	Points until stop loss	Shares	Risk	Positionsize	Exit	Points	Sum	Account
										$10,000.00
1	100	85	15	10	$150.00	$1,000.00	85	-15	-$150.00	$9,850.00
2	110	100	10	9	$90.00	$990.00	125	15	$135.00	$9,985.00
3	140	120	20	7	$140.00	$980.00	120	-20	-$140.00	$9,845.00
4	120	105	15	8	$120.00	$960.00	105	-15	-$120.00	$9,725.00
5	135	115	20	7	$140.00	$945.00	165	30	$210.00	$9,935.00
6	160	145	15	6	$90.00	$960.00	185	25	$150.00	$10,085.00
7	185	175	10	5	$50.00	$925.00	175	-10	-$50.00	$10,035.00
8	185	170	15	5	$75.00	$925.00	170	-15	-$75.00	$9,960.00
9	95	90	5	10	$50.00	$950.00	103	8	$80.00	$10,040.00
10	110	100	10	9	$90.00	$990.00	100	-10	-$90.00	$9,950.00

$9,950.00

Figura 17: Cu tranzacția numărul opt pe partea pierzătoare, rezultatul general este de asemenea negativ.

Rezultatul general este doar marginal mai bun decât cel al numărului fix, dar tot avem pierderi în contul nostru de tranzacționare. Și în acest caz, suntem în urma posibilităților oferite de o dimensiune optimă a poziției.

În cele din urmă, putem analiza care ar fi rezultatul global dacă am ieși fără pierdere la tranzacția numărul opt.

Pos	Entry	Stop loss	Points until stop loss	Shares	Risk	Positionsize	Exit	Points	Sum	Account
										$10,000.00
1	100	85	15	10	$150.00	$1,000.00	85	-15	-$150.00	$9,850.00
2	110	100	10	9	$90.00	$990.00	125	15	$135.00	$9,985.00
3	140	120	20	7	$140.00	$980.00	120	-20	-$140.00	$9,845.00
4	120	105	15	8	$120.00	$960.00	105	-15	-$120.00	$9,725.00
5	135	115	20	7	$140.00	$945.00	165	30	$210.00	$9,935.00
6	160	145	15	6	$90.00	$960.00	185	25	$150.00	$10,085.00
7	185	175	10	5	$50.00	$925.00	175	-10	-$50.00	$10,035.00
8	185	170	15	5	$75.00	$925.00	185	0	$0.00	$10,035.00
9	95	90	5	10	$50.00	$950.00	103	8	$80.00	$10,115.00
10	110	100	10	9	$90.00	$990.00	100	-10	-$90.00	$10,025.00

$10,025.00

Figura 18: Chiar și cu o dimensiune fixă a poziției, tranzacția de prag de rentabilitate aduce un rezultat global pozitiv.

În cazul tranzacției de echilibrare, rezultatul global este pozitiv, dar nu există o creștere reală a valorii.

Din fericire, avem o a treia modalitate de a determina dimensiunea optimă a poziției. Dacă în prima încercare am păstrat constant numărul de titluri de valoare și în cea de-a doua am păstrat constantă mărimea poziției, în cea de-a treia încercăm ideea de a menține constant riscul. Poate că acest lucru ne va aduce rezultate mai bune.

Deci, să presupunem din nou că dorim să ne asumăm exact 1% risc pe tranzacție, pe baza contului nostru de tranzacționare de 10.000 de dolari. Asta înseamnă un risc de 100 de dolari, pe care îl acceptăm pentru fiecare poziție. Cum arată rezultatele în condițiile unor parametri care nu se modifică?

Pos	Entry	Stop loss	Points until stop loss	Shares	Risk	Positionsize	Exit	Points	Sum	Account
										$10,000.00
1	100	85	15	6	$90.00	$600.00	85	-15.00	-$90.00	$9,910.00
2	110	100	10	10	$100.00	$1,100.00	125	15.00	$150.00	$10,060.00
3	140	120	20	5	$100.00	$700.00	120	-20.00	-$100.00	$9,960.00
4	120	105	15	6	$90.00	$720.00	105	-15.00	-$90.00	$9,870.00
5	135	115	20	5	$100.00	$675.00	165	30.00	$150.00	$10,020.00
6	160	145	15	6	$90.00	$960.00	185	25.00	$150.00	$10,170.00
7	185	175	10	10	$100.00	$1,850.00	175	-10.00	-$100.00	$10,070.00
8	185	170	15	6	$90.00	$1,110.00	205	20.00	$120.00	$10,190.00
9	95	90	5	20	$100.00	$1,900.00	103	8.00	$160.00	$10,350.00
10	110	100	10	10	$100.00	$1,100.00	100	-10.00	-$100.00	$10,250.00
										$10,250.00

Figura 19: Varianta "risc fix" produce, de asemenea, un rezultat global pozitiv.

Și aici vedem un rezultat pozitiv, ceea ce în sine nu este prea rău. Să citim printre rânduri. În ce circumstanțe s-a ajuns la acest rezultat? Am menținut riscul poziției noastre aproape constant în fiecare tranzacție individuală. Întrucât nu există jumătăți de acțiuni, am fost din nou forțați să rotunjim și să reducem oarecum riscul. Ca urmare a riscului constant, atât numărul respectiv de unități, cât și mărimea poziției respective variază.

Fixând riscul, obținem exact ceea ce avem nevoie pentru tranzacționarea noastră. Un număr mare de acțiuni atunci când stop loss este aproape de intrare în piața de capital și un număr mic de acțiuni atunci când stop loss este mai departe. Deoarece riscul rămâne întotdeauna același, păstrăm astfel oportunitatea de a obține profituri mari prin intermediul numărului variabil corespunzător de acțiuni.

Cum va arăta acum rezultatul dacă transformăm din nou a opta tranzacție în una perdantă?

Pos	Entry	Stop loss	Points until stop loss	Shares	Risk	Positionsize	Exit	Points	Sum	Account
										$10,000.00
1	100	85	15	6	$90.00	$600.00	85	-15.00	-$90.00	$9,910.00
2	110	100	10	10	$100.00	$1,100.00	125	15.00	$150.00	$10,060.00
3	140	120	20	5	$100.00	$700.00	120	-20.00	-$100.00	$9,960.00
4	120	105	15	6	$90.00	$720.00	105	-15.00	-$90.00	$9,870.00
5	135	115	20	5	$100.00	$675.00	165	30.00	$150.00	$10,020.00
6	160	145	15	6	$90.00	$960.00	185	25.00	$150.00	$10,170.00
7	185	175	10	10	$100.00	$1,850.00	175	-10.00	-$100.00	$10,070.00
8	185	170	15	6	$90.00	$1,110.00	170	-15.00	-$90.00	$9,980.00
9	95	90	5	20	$100.00	$1,900.00	103	8.00	$160.00	$10,140.00
10	110	100	10	10	$100.00	$1,100.00	100	-10.00	-$100.00	$10,040.00
										$10,040.00

Figura 20: Din nou, cea de-a opta tranzacție este perdantă, dar rezultatul general rămâne pozitiv!

Iată; în momentul de față, este rentabil să păstrezi riscul constant. Apoi, nu contează dacă stop loss este mai departe sau mai aproape de punctul de intrare pe piața de capital. Și iată de ce, cu un bun management al banilor - vă rugăm să aveți răbdare până atunci - se obțin rezultate pozitive chiar dacă avem mai puțin de 50% rate de succes. În acest caz, ajungem chiar la un rezultat global pozitiv cu o rată de succes de numai 40%!

În cele din urmă, să aruncăm o privire la rezultatul care apare atunci când tranzacția numărul opt este o tranzacție de break-even.

Pos	Entry	Stop loss	Points until stop loss	Shares	Risk	Positionsize	Exit	Points	Sum	Account
										$10,000.00
1	100	85	15	6	$90.00	$600.00	85	-15.00	-$90.00	$9,910.00
2	110	100	10	10	$100.00	$1,100.00	125	15.00	$150.00	$10,060.00
3	140	120	20	5	$100.00	$700.00	120	-20.00	-$100.00	$9,960.00
4	120	105	15	6	$90.00	$720.00	105	-15.00	-$90.00	$9,870.00
5	135	115	20	5	$100.00	$675.00	165	30.00	$150.00	$10,020.00
6	160	145	15	6	$90.00	$960.00	185	25.00	$150.00	$10,170.00
7	185	175	10	10	$100.00	$1,850.00	175	-10.00	-$100.00	$10,070.00
8	185	170	15	6	$90.00	$1,110.00	185	0.00	$0.00	$10,070.00
9	95	90	5	20	$100.00	$1,900.00	103	8.00	$160.00	$10,230.00
10	110	100	10	10	$100.00	$1,100.00	100	-10.00	-$100.00	$10,130.00
										$10,130.00

Figura 21: După cum era de așteptat, rezultatul global este pozitiv chiar și în cazul tranzacției de echilibru.

Desigur, rezultatul rămâne pozitiv acum, la fel ca în cele două versiuni anterioare ale analizei.

Putem aprofunda în continuare ideea de risc fix. În varianta noastră " am înghețat"practic riscul la suma inițială a contului de tranzacționare. În limita unei anumite mărimi de cont, acest lucru este perfect logic, deoarece micile subtilități din intervalul de cenți nu pot fi reproduse, mai ales în cazul acțiunilor, din cauza lipsei capacității de denominare a acțiunilor. Bineînțeles, situația este diferită pe măsură ce contul crește. Atunci este recomandabil să nu selectați dimensiunea inițială a contului ca punct de referință, ci întotdeauna pe cea actuală. Acest lucru întărește și mai mult avantajul riscului constant, motiv pentru care preferăm să vorbim de "risc procentual fix". "

Am observat deja, atunci când am determinat riscul, că avem o " frână automată" în cazul unei pierderi, deoarece, cu un cont mai mic, suma absolută la risc și, prin urmare, dimensiunea poziției devine mai mică. Singurul lucru care rămâne neschimbat este riscul procentual.

Acest lucru ne permite să creştem rapid în vremuri bune, cu mai multe profituri la rând, şi să ne salvăm încet contul în vremuri grele. Nu avem acest efect automat al pedalei de frână şi de acceleraţie nici cu cantitatea fixă de acţiuni, nici cu mărimea fixă a poziţiei cumpărate de acţiuni. Acesta este şi motivul pentru care aceste două variante conduc în mod regulat la rezultate suboptime. Vom examina din nou acest efect în ultimul capitol al acestei cărţi.

Aşadar, folosiţi metodologia de risc procentual fix şi profesionalizaţi-vă managementul riscului!

Cum iau Rick, Anna şi Peter concluziile noastre şi cum le implementează în practica lor de tranzacţionare? Să auzim ce are de spus Rick:

Stop loss are sens pentru mine. Mai ales că, din moment ce intru pe piaţă în tranzacţionarea forex cu o pârghie, este important pentru mine să îmi limitez riscul în mod corespunzător. Cel mai bun mod de a face acest lucru este prin intermediul analizei tehnice. De fapt, întotdeauna mi-am dorit să tranzacţionez sume fixe de 10.000 de dolari, dar, desigur, fixarea riscului are mai mult sens. Din fericire, brokerul meu îmi permite, de asemenea, să tranzacţionez cu valori nominale foarte mici prin intermediul mini- şi micro-loturilor, astfel încât să pot lucra întotdeauna cu acelaşi procent de risc.

În cazul lui Rick, se întâlnesc două aspecte pe care trebuie să le explicăm mai în detaliu. Pe de o parte, Rick are "doar" 5.000 de dolari în contul său de tranzacţionare, dar tranzacţionează sume de 10.000 de dolari sau mai mari. Acest lucru este posibil datorită faptului că tranzacţionarea pe piaţa forex nu se realizează într-un raport de 1:1, ci "cu efect de levier" într-un raport de 1:100 sau mai mare. Acest lucru îi permite teoretic lui Rick să tranzacţioneze de 100 de ori mai mult decât capitalul său . Mai ales dacă acţionaţi cu efect de levier, gestionarea prudentă a riscurilor este o prioritate absolută pentru dumneavoastră.

Pe de altă parte, Rick vorbește de mini- și micro-loturi. Mulți brokeri oferă valori nominale mici și foarte mici în tranzacționarea pe piața valutară, ceea ce face posibilă o potrivire precisă între gestionarea riscurilor și mărimea poziției. Acest lucru vă permite să lucrați în mod profesionist chiar și cu un cont relativ mic.

Care sunt gândurile Annei? Cum abordează ea determinarea dimensiunii optime a poziției?

Deoarece vreau să tranzacționez în principal acțiuni sau ETF-uri pe baza analizei graficului săptămânal pe termen lung, stop loss va fi în mod regulat departe de intrarea mea. Acest lucru îmi va permite, probabil, să cumpăr doar câteva bucăți dintr-o acțiune. Pe de altă parte, acest lucru îmi permite, de asemenea, să plasez mai multe acțiuni și companii în portofoliul meu, ceea ce îmi oferă o răspândire mai largă. Deoarece tranzacționez defensiv, voi rotunji în jos atunci când îmi determin dimensiunea poziției.

Anna ridică un alt aspect interesant aici. Prin achiziționarea unor poziții de dimensiuni mai mici datorită stopurilor mai îndepărtate, ea are posibilitatea de a adăuga mai multe acțiuni diferite în portofoliul său și, astfel, de a crește șansele de profit. Este de la sine înțeles că, în acest caz, trebuie să acorde o atenție deosebită riscului său global.

În cele din urmă, să îl ascultăm pe Petru. Care sunt gândurile sale?

La mine este relativ simplu. Bineînțeles, îmi voi efectua analiza tehnică în conformitate cu toate regulile de tranzacționare pe baza analizei tehnice. Prefer să plasez stop loss-ul puțin mai departe de intrarea mea, astfel încât să nu fiu oprit nefericit. La urma urmei, vreau să dau pieței o șansă de a respira. Acest lucru determină, de asemenea, dimensiunea poziției mele, pe care o introduc pe poziție.

Un scurt rezumat al celor mai importante fapte:

> Gestionarea riscurilor vă ajută să scăpați la timp de "ucigașii de performanță" și să vă mențineți baza financiară.

> În realitate, drumul de întoarcere devine o sarcină aproape de nerezolvat atunci când apar pierderi mari şi disproporţionate. De la o pierdere de 50%, trebuie realizat un câştig de 100% pentru a reveni la punctul de plecare.

> Pentru a rămâne întotdeauna capabil să acţionaţi, este important să stabiliţi o valoare a riscului pe poziţie care să fie suportabilă din punct de vedere mental şi financiar pentru dumneavoastră. Această sumă este determinată în funcţie de contul dvs. de tranzacţionare şi variază în mod regulat între 1% şi 2% din contul dvs. de tranzacţionare.

> Pe lângă riscul individual, este important să stabiliţi şi o sumă care să limiteze riscul global. În acelaşi timp, ar trebui să stabiliţi un plan care să indice ce trebuie făcut atunci când această sumă este atinsă.

> Pentru a vă proteja tranzacţiile împotriva pierderilor disproporţionate, este necesar să setaţi un punct la care probabilitatea de succes nu mai este dată. Acest punct este stop loss-ul dumneavoastră.

> În practică, stop loss este determinat prin intermediul marcajelor tehnice de pe graficul tehnic şi, în mod ideal, este introdus pe piaţă în momentul deschiderii poziţiei.

> Dimensiunea optimă a poziţiei poate fi determinată prin intermediul stop loss şi al riscului asumat pe tranzacţie. Procentul de risc este fixat în funcţie de contul de tranzacţionare şi de numărul de titluri de valoare care urmează să fie tranzacţionate, în timp ce valoarea capitalului care trebuie utilizat variază de la o poziţie la alta.

CAPITOLUL 3:
Managementul banilor

O regulă de tranzacționare bine cunoscută spune: "Limitează-ți pierderile și lasă-ți profiturile să curgă. " Această regulă bine intenționată este dată în special începătorilor pe piețe. Dar este cu adevărat recomandabil să procedați întotdeauna în acest fel?

În practică, în cazuri extreme, trebuie să ne imaginăm că traderii deschid o poziție, își plasează stop loss pe piață și apoi lasă tranzacția să meargă. Adesea, aceștia nu au un obiectiv concret pentru tranzacția lor. Câștigurile sunt lăsate la voia întâmplării.

Putem numi cu adevărat o astfel de abordare tranzacționare profesională?

Este de necontestat faptul că o activitate comercială are nevoie de "aer pentru a respira" și de libertate de mișcare după deschiderea sa. Dar să lași o operațiune de tranzacționare de cumpărare la voia întâmplării să se dezvolte așa, pur și simplu?

Pentru ca profiturile să se desfășoare cu succes, avem nevoie de o tendință care să aducă doar corecții minore. Tocmai în acest punct se întâlnește teoria cu practica: cât de des și cât timp avem astfel de tendințe în comparație cu mișcările laterale limitate în sus și în jos?

Din acest motiv, trebuie să examinăm în mod critic această regulă de tranzacționare tradițională. Ce se întâmplă dacă urmați această regulă pe o piață laterală? Vă veți returna în mod regulat profiturile inițiale din contabilitate pe măsură ce piața se mișcă înainte și înapoi între limitele sale.

Adesea, această strategie seamănă cu un joc de noroc, iar rezultatul este incert. Atunci când o tranzacție funcționează și se generează un profit mare, bucuria este mare. Pe de altă parte, însă, există un număr mare de tranzacții care au fost oprite undeva între un profit mic, un break-even sau o pierdere. În concluzie, putem spune rapid: "Nu s-a obținut nimic în afară de cheltuieli." Ceea ce îi face plăcere brokerului este cu atât mai enervant pentru traderul dedicat.

În plus față de câștigurile nerealizate, mai există un alt aspect. Imaginați-vă că investiți timp în analiza tehnică, identificați o acțiune interesantă și deschideți o poziție în conformitate cu strategia dumneavoastră. Ideea dvs. de tranzacționare funcționează și vedeți cum profitul contabil crește constant. Deoarece doriți să lăsați profitul să curgă, acordați spațiu de manevră tranzacției. Și vine ceea ce trebuie să vină - impulsul slăbește, prețul începe să scadă, iar ceea ce înainte era un profit contabil respectabil se topește ca untul la soare.

Imaginați-vă acest scenariu nu doar o singură dată, ci, să spunem, în aproximativ o treime din tranzacțiile executate. Acum întrebați-vă:

> Cât de mult mai puteți avea încredere în strategia dvs. de tranzacționare?

> Cât de multă încredere puteți avea în voi și în munca voastră analitică?

> Cât de sigur doriți să păstrați tranzacțiile?

> Cu ce așteptări deschideți următoarea tranzacție?

Ceea ce rămâne este frustrarea. În legătură cu timpul investit, cu profiturile pierdute și cu emoțiile schimbătoare. Nu mai este de ajutor dacă din când în când o tranzacție foarte bună, cu un profit mare, își face loc în statisticile tale. Frustrarea cu numeroasele situații în care profitul era deja tangibil și a dispărut în neant va fi pur și simplu prea mare pentru a construi o încredere stabilă în tine și în strategia ta de tranzacționare.

În cele din urmă, o astfel de abordare va sfârși prin a vă face să sperați în mod constant că marele câștigător vă va compensa pentru eforturile depuse în urma numeroaselor eșecuri mici. În acest context, se spune repede: "Dacă m-aș fi alăturat acțiunii XY în acel moment, totul ar fi fost bine acum..." Întrebarea care urmează în mod inevitabil este: "Și când anume ați vrut să ieșiți din acest mare câștigător?"

Un ultim punct completează discuția noastră critică. La începutul cărții, v-ați întrebat ce doriți să obțineți prin tranzacționarea dumneavoastră. Vă amintiți? Da. În acest moment, să presupunem că vreți să câștigați bani materializați în profit cu tranzacționarea dumneavoastră.

Întrebați-vă: "Vreți să lăsați acest lucru la voia întâmplării sau să îl obțineți prin profituri continue"

În acest moment, părăsim managementul riscului și facem primii pași către un management profesionist al banilor, luând în considerare obiective concrete de profit și atingerea obiectivelor.

De la gestionarea riscurilor la gestionarea banilor: Ce legătură are limitarea riscului cu determinarea profiturilor?

Ca parte a procesului nostru de limitare a riscurilor, am stabilit că tranzacționarea se bazează pe probabilități și am introdus stop loss în acel punct al graficului în care probabilitatea ca ideea noastră de tranzacționare să funcționeze nu mai există. Punând un stop pierderilor disproporționate și orientându-ne către probabilități, am reușit să obținem siguranță pentru punerea în aplicare a deciziilor noastre de tranzacționare.

Când vine vorba de profituri, ne confruntăm cu aceeași situație. Simpla renunțare la profituri înseamnă, la rândul său, intrarea în incertitudine. Am stabilit deja că nu puteți prezice viitorul. La fel cum nu știți în *ce direcție se* va mișca efectiv prețul după ce ați intrat pe piață, nu știți nici cât de *departe se* va mișca prețul în acea direcție.

Pentru a transforma și acest alt aspect al incertitudinii în certitudine, putem aplica din nou conceptul de probabilitate. Folosim analiza tehnică pentru a identifica punctul pe care este cel mai probabil să îl atingă prețul.

Ca regulă generală, putem spune că cele mai apropiate puncte sunt cele mai probabile de atins. Cu cât o țintă este mai departe de intrare, cu atât mai mică este probabilitatea ca aceasta să fie atinsă în viitorul apropiat fără eventuale corecții ale prețului.

În ceea ce privește planificarea tranzacțiilor, acest lucru înseamnă că vă puteți aștepta să atingeți rapid obiectivele dacă acestea sunt aproape, iar dacă sunt mai îndepărtate, trebuie să planificați corecții.

Există mai multe metode de determinare a țintei/obiectivului de profit. Să analizăm mai îndeaproape două dintre ele. Una aici și cealaltă în secțiunea următoare.

Vă amintiți că am folosit ultimul minim după o corecție în tendința de început pentru a determina stop loss-ul nostru. Urmăm o cale similară pentru determinarea profiturilor.

Pentru ținta noastră de profit, căutăm un preț al acțiunii care poate fi atins cu un anumit grad ridicat de probabilitate în cadrul mișcării actuale. Acesta este, de obicei, ultimul maxim după o corecție sau cea mai apropiată rezistență în cadrul tendinței. Deoarece ne putem aștepta la o contrareacție în aceste puncte în mod regulat, este logic să vă stabiliți ținta de profit aici.

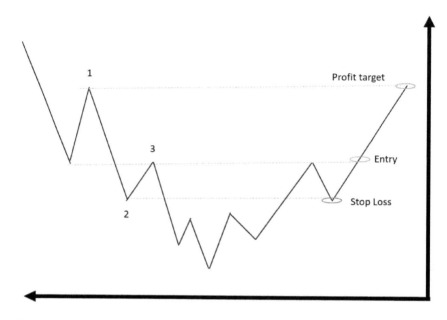

Figura 22: Definirea unei ținte de profit într-un trend ascendent.

Figura 22 ne arată evoluția tipică a oricărei piețe cu o tendință descendentă, o formare a bottom-ului și o inversare de tendință. Având în vedere vârful atins în punctul 1 și corecția ulterioară până la suportul din punctul 2, putem presupune că există un interes de cumpărare în rândul participanților pe piață.

Dorim să deschidem poziția atunci când prețul trece de rezistența de la punctul 3. Plasăm stop loss sub ultimul minim din punctul 2, unde am identificat simultan un suport. Întrucât intrăm într-o nouă tendință și speculăm că va fi atins un nou maxim, alegem ca țintă următoarea rezistență la îndemână, care se află la punctul 1. În acest punct ne putem aștepta la o corecție cel puțin temporară. Pentru a ne asigura profitul, ieșim din tranzacție în acest punct.

Vrem să ieșim din incertitudine și să fim în certitudine în cazul profitului. Chiar și cu riscul de încălcauna dintre vechile zicale ale tranzacționării în acest moment, nu poate exista decât o singură recomandare:

Stabilește-ți o țintă concretă de profit și du-ți câștigurile acolo!

Putem transfera această procedură direct în practică și să ne uităm la perechea valutară GBP/USD

Figura 23: GBP/USD, grafic zilnic (o lumânare = o zi). După un declin, perechea valutară formează un bottom și începe să formeze un nou trend ascendent. Sursa: www.tradingview.com

Perechea valutară GBP/USD a găsit un minim la 1,19583 USD după o vânzare la punctul 1. Acolo, perechea valutară se stabilizează și urcă până la linia de rezistență de la 1,25344 USD - punctul nostru 2. Așa cum era de așteptat, perechea valutară scade de acolo și formează un minim mai mare la punctul 3. După cum știți deja, acest lucru indică un interes de cumpărare cel puțin temporar, pe care dorim să îl folosim pentru o tranzacție. Plasăm intrarea noastră chiar deasupra punctului 2, la 1,25367 USD. Am stabilit stop loss-ul nostru sub punctul 3 la 1,2190 USD. Ca țintă, vizăm zona care a format o rezistență relevantă în trecut: intervalul dintre 1,29755 USD și 1,33281 USD. Acolo dorim să ieșim din tranzacția noastră cu profit.

Acum vă puteți întreba de ce a fost ales acest punct anume. Există mai multe motive pentru aceasta. Pe de o parte, puteți vedea că la punctul B preţul a ricoşat de două ori în jos, cu un suport la punctul A. Aceste puncte limitează o zonă în care preţurile variază timp de câteva zile, aşa că le putem vedea ca pe o potenţială zonă de rezistenţă. În zona 1,29755 USD - unde se află suportul din punctul A - au existat mai multe reacţii. O depăşire a suportului nu a fost permanentă. Din acest motiv, linia de la punctul A ar trebui să construiască o rezistenţă de mare probabilitate. Prin urmare, şansele sunt mari ca preţul să revină acolo. Pentru a păstra profiturile, vom ieşi aici cu o parte - adică, jumătate din poziţie. Pe de altă parte, zona din jurul numărului rotund este considerată deosebit de reactivă, mai ales în tranzacţionarea pe piaţa valutară. Aceste zone, cum ar fi 1,33000 USD, sunt sub observaţia specială a multor participanţi la piaţă. În acea zonă se află şi linia de rezistenţă de la punctul B, unde cumpărătorii au eşuat deja. De asemenea, din acest motiv, este recomandabil să ieşiţi din cealaltă parte a poziţiei acolo pentru a asigura profiturile acumulate.

Pe măsură ce continuăm, putem vedea că am reuşit să luăm aproape întreaga întindere a mişcării ascendente după breakout. Ceea ce reiese, de asemenea, este că, în urma ieşirii noastre, s-a format o consolidare care a oferit cel puţin încă două oportunităţi interesante de tranzacţionare la suportul nou găsit.

Dacă comparaţi aceste observaţii cu alternativa "lăsaţi profiturile să curgă", unde vedeţi cele mai bune oportunităţi de a face bani şi de a vă creşte capitalul de tranzacţionare?

Prin tranzacţiile dvs. de succes vă puteţi construi, de asemenea, încrederea în calitate de participant al piaţei. În contrast cu traderul care a experimentat de mai multe ori în timpul acestei mişcări că profitul său contabil se topeşte în mod regulat şi, ca urmare, începe încet-încet să se îndoiască de el însuşi şi de strategia sa.

Pentru implementarea tehnică a strategiei dumneavoastră, în majoritatea platformelor de tranzacţionare, puteţi introduce obiectivul de preţ simultan cu ordinul stop loss şi îl puteţi plasa pe piață.[5] În acest fel, cele două "borne de delimitare" sunt stabilite și cunoașteți cu certitudine rezultatul complet al tranzacției dvs. atunci când deschideți o poziție.

Acum am reunit toate componentele de care aveți nevoie pentru a vă asigura certitudinea în tranzacționare. Atunci când deschideți o poziție, știți ce puteți pierde cel mai mult și știți, de asemenea, ce puteți câștiga cel mai bine. Dar ceea ce nu știți încă este dacă o tranzacție are cu adevărat sens sau dacă ar trebui mai degrabă să așteptați o altă oportunitate. Hai să rezolvăm acest lucru acum.

Șansă sau risc? Cum să vă îmbunătățiți calitatea tranzacțiilor!

Una dintre cele mai importante componente pentru un succes de durată în tranzacționare este capacitatea de a separa oportunitățile promițătoare de cele nepromițătoare și de a intra doar în tranzacții care au un potențial de profit corespunzător.

Din nefericire, nu știți acest lucru dinainte și trebuie să folosiți conceptul de probabilitate pentru a găsi cel puțin o anumită certitudine. Așa cum am discutat mai sus, trebuie să stabiliți o țintă de profit care poate fi atins cu o probabilitate ridicată pentru fiecare tranzacție. Desigur, nu are sens să alegeți o țintă care este aproape de intrarea în tranzacția de cumpărare doar pentru a obține un profit rapid. Dacă ați proceda în acest fel, ați avea multe profituri mici, care ar putea fi eliminate de o singură pierdere. Acest calcul nu poate funcționa, bineînțeles, pe termen lung.

Din acest motiv, este important să comparați pierderile și câștigurile potențiale ale unei tranzacții. Întotdeauna trebuie să știți ce doriți și

---

[5]   Acest lucru se întâmplă apoi sub forma unui așa-numit ordin OCO: One-Cancels-Other. Dacă un ordin este declanșat, celălalt este automat șters. Acest lucru are rolul de a se asigura că niciun ordin deschis de la dumneavoastră nu rămâne pe piață din greșeală.

de ce aveți nevoie pentru a fi compensat în mod adecvat pentru riscul pe care vi l-ați asumat cu investiția dumneavoastră.

Acest raport este indicat de raportul risc/recompensă. Raportul risc/recompensă-RRR, pe scurt, indică cât de mare este profitul în raport cu riscul asumat. Calculul este foarte simplu:

$$RRR = \frac{C\hat{a}\u0219tig}{Pierdere}$$

De exemplu, dacă planificăm o tranzacție în care putem obține un profit de 100 de dolari și riscul nostru definit este de 50 de dolari, atunci raportul nostru risc/recompensă este următorul

$$RRR = \frac{\$100}{\$50} = 2$$

Presupunând că ne-am mulțumi cu un mic profit de 50 de dolari, raportul risc/recompensă ar arăta astfel:

$$RRR = \frac{\$50}{\$50} = 1$$

Ca un scenariu final, putem vedea cum arată raportul risc/recompensă dacă ieșim cu un profit mic de, să spunem, 25 de dolari, dacă închidem tranzacția imediat după ce am deschis-o și am obținut primele profituri:

$$RRR = \frac{\$25}{\$50} = 0.5$$

Din raportul risc/recompensă puteți vedea când o tranzacție are sens și când nu. Este ca orice investiție: Dacă știm de la început că vom obține mai puțin decât riscăm, atunci această investiție nu are sens. Raportul risc/recompensă exprimă această logică în cifre.

Pentru interpretare, acest lucru înseamnă că cerința minimă pe care trebuie să o aveți pentru raportul risc/recompensă este RRR = 1. Dacă raportul risc/recompensă este mai mic de 1, vă asumați un risc mai mare decât promite tranzacția ca profit. În plus, calculați cu probabilități pentru cazul câștigător, deci nu este sigur dacă profitul este într-adevăr în această sumă. În cazul unei pierderi, calculați de asemenea probabilități, dar dacă acest lucru se întâmplă, atunci știți cu certitudine absolută ce puteți pierde. Acest dezavantaj încorporat consolidează și mai mult raportul risc/recompensă prea mic în defavoarea dumneavoastră. [6]

În consecință, cerința minimă pentru raportul risc/recompensă trebuie să fie 1. În acest caz, veți fi plătit cu aceeași sumă pentru riscul pe care vi l-ați asumat. În cazul unei pierderi, un profit anterior este imediat șters. Per total, trebuie să obțineți destule tranzacții câștigătoare pentru a obține rezultate semnificative cu acest raport risc/recompensă.

În mod evident, este mai bine să alegeți un raport risc/recompensă semnificativ mai mare. În practică, o valoare cuprinsă între 1,5 și 2 s-a dovedit a fi practicabilă. Un RRR = 1,5 înseamnă că veți primi de 1,5 ori mai mult decât riscul pe care vi l-ați asumat dacă reușiți. Un exemplu:

Presupunând că efectuați două tranzacții, dintre care una este câștigătoare și cealaltă perdantă, ați obținut un câștig total egal cu jumătate din riscul dumneavoastră. Mai ales că presupunând că trebuie să vă așteptați la pierderi în tranzacționare în mod regulat și să le planificați în mod explicit, această abordare are sens.

---

[6]   De fapt, există o serie de dezavantaje pe care trebuie să le depășiți la fiecare tranzacție. Acestea sunt comisioanele deja menționate, spread-ul și, de asemenea, un posibil slippage. Trebuie să compensezi toate aceste puncte în drumul tău spre câștig înainte de a fi cu adevărat în profit.

În ceea ce privește planificarea și executarea tranzacțiilor, acest lucru înseamnă că trebuie să omiteți acele tranzacții pentru care este evident de la început că șansele de câștig sunt mai mici decât riscul asumat. Din punct de vedere al raportului risc/recompensă, acestea pur și simplu nu au sens. O pierdere vă aruncă mai mult înapoi decât un câștig v-ar avansa.

Înainte de a discuta în mod critic raportul risc/recompensă, să aruncăm o privire la raportul risc/recompensă pe care l-am planificat pentru tranzacția noastră cu GBP/USD:

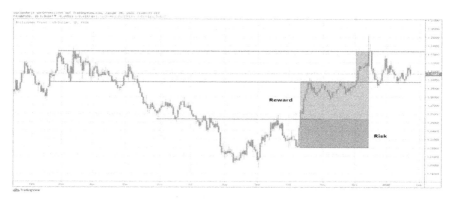

Figura 24: GBP/USD, grafic zilnic (o lumânare = o zi). Raportul risc/ recompensă este marcat în tranzacția noastră și doar printr-o inspecție vizuală puteți vedea că RRR este > 1. Sursa: www.tradingview.com

Ne-am planificat tranzacția cu o intrare la 1,25367 USD, un stop loss la 1,21900 USD și o țintă la 1,29755 USD și/sau 1,33000 USD. Care este raportul risc/recompensă?

Riscul este:

$$Entry - Stop\ Loss = Risk$$
$$USD\ 1.25367 - USD\ 1{,}21900 = 3{,}467 = 346.7\ Pips[7]$$

---

[7]   A pip in forex trading is the fourth decimal place. A change of one pip

Profitul planificat se ridică la:

$$Target - Entry = Profit$$

$$USD\ 1.29755 - USD\ 1.25367 = 4{,}388 = 438.8\ Pips$$

Profilul de risc/recompensă este următorul:

$$RRR = \frac{4{,}388}{3{,}467} = 1.27$$

Observăm că RRR este >1. Acest lucru înseamnă că tranzacția este practic fezabilă. Dacă includem costurile unei tranzacții, cum ar fi comisioanele, spread-ul [8]și, eventual, o execuție mai proastă decât cea planificată - așa-numitul slippage [9]-, raportul risc/recompensă se deteriorează și mai mult. Prin urmare, tranzacția este încă fezabilă, dar un raport risc/recompensă de această valoare nu ar trebui să fie regula.

Să reluăm un alt punct în acest context. În acest moment, vă rugăm să vă gândiți din nou la calculul nostru privind dimensiunea optimă a poziției. Acolo am avut doar patru câștigători din zece tranzacții. Cu toate acestea, am reușit totuși să obținem un rezultat pozitiv, presupunând un risc procentual constant. Motivul a fost că tranzacțiile câștigătoare au fost mai mari decât cele pierzătoare. Raportul risc/recompensă a fost semnificativ peste 1 în fiecare caz.

---

represents a change of one. For example, from USD 1.25360 to USD 1.25370.

[8] Spread-ul este diferența dintre prețul de cumpărare și cel de vânzare. De regulă, prețul de cumpărare este mai mic decât prețul de vânzare.

[9] Slippage este definit ca fiind o execuție a unui ordin care este mai slabă decât execuția dorită a ordinului. Aceasta poate apărea atât la deschiderea, cât și la închiderea unei poziții și, în circumstanțe nefavorabile, poate înrăutăți semnificativ rezultatele.

Pentru dumneavoastră, acest lucru înseamnă că nu trebuie să aveți întotdeauna dreptate în analiza dumneavoastră. Nu trebuie să încheiați fiecare tranzacție cu profit pentru a obține rezultate globale pozitive. Sumele obținute din operațiunile profitabile (câștigătorii dvs.) trebuie doar să fie mai mari decât sumele obținute din operațiunile neprofitabile (pierzătorii dvs.). Acesta este întregul secret. Ceea ce pare atât de simplu în teorie se știe că este mult mai dificil de pus în practică. Din acest motiv, este, de asemenea, corect și important să stabiliți un obiectiv concret care poate fi atins cu un grad ridicat de probabilitate pentru a încheia tranzacția în acest punct.

Cu cât ținta este mai departe de intrarea dumneavoastră, cu atât este mai puțin probabil să fie atinsă într-un timp rezonabil și fără corecții semnificative. Acest lucru înseamnă, de asemenea, că probabilitatea de a obține un raport risc/recompensă foarte ridicat este, de asemenea, scăzută. Cu cât raportul risc/recompensă vizat ar trebui să fie mai mare, cu atât mai mică este probabilitatea ca acesta să fie atins prompt și direct.

Și aici trebuie să avem o discuție critică. Adesea auzim de la traderi că intră doar în tranzacții care promit un raport risc/recompensă de 3, 4 sau 5. Câte șanse ratate credeți că vor trebui să își asume acești traderi în drumul lor spre profitul mare? Cât de realistă este o astfel de afirmație?

În planificarea tranzacției, este cu siguranță corect și important să se identifice și să se definească profitul potențial. Cu toate acestea, trebuie, de asemenea, să stabiliți prețul la care i profitul este cel mai probabil să dispară din nou.

Nu în ultimul rând, atunci când se analizează o tranzacție, nu este vorba doar de a determina ce potențial are, ci și de a măsura retrospectiv ce raport risc/recompensă a fost realizat în realitate. Doar acest punct este factorul decisiv. Doar acest considerent indică dacă un trader tranzacționează cu succes sau nu.

Atunci când vă planificați următoarele tranzacții, se recomandă, prin urmare, să selectați tranzacții care oferă un raport risc/recompensă de 1,5 sau 2 și care sunt susceptibile de a vă atinge obiectivele. Apoi, în retrospectivă, veți putea pretinde exact aceste rapoarte în total din nou pentru dumneavoastră.

Probabil că ați ghicit deja. De asemenea, vă puteți seta ținta de profit prin intermediul unui raport fix risc/recompensă. De exemplu, dacă specificați că doriți să realizați întotdeauna un RRR = 1,5, atunci setați acest lucru ca țintă de profit. Folosind analiza tehnică, ar trebui apoi să vă asigurați că este dată și probabilitatea de a atinge ținta.

În cele din urmă, câteva cuvinte despre abordarea probabilităților. Deși ne-am ocupat de ceea ce pare probabil și de ceea ce nu, nu am luat în considerare dovezi statistice concrete în această privință. Nici acest lucru nu este posibil. În lumea tranzacțiilor există un număr infinit de piețe, metode, stiluri de tranzacționare, produse și strategii. Acestea pot fi combinate în voie și implementate într-o mare varietate de intervale de timp. O considerare generală a unor statistici rigide nu are sens din cauza acestei varietăți de posibilități. În cele din urmă, va trebui să vă dezvoltați și să vă rafinați propria strategie și să acționați în funcție de cerințele și preferințele dumneavoastră individuale. Dacă, din punctul dvs. de vedere, atingerea unui obiectiv de profit este destul de puțin probabilă, atunci acesta este un semnal sigur pentru dvs. de a nu intra în tranzacție sau cel puțin de a alege un alt obiectiv de profit. Acest lucru nu înseamnă neapărat că un alt trader nu are o opinie exact opusă celei a dumneavoastră în același moment, în condițiile sale personale și strategiile bazate pe acestea. Acest lucru este important, corect și bun. La urma urmei, multitudinea opiniilor de pe piață, a ideilor de tranzacționare și a circumstanțelor individuale este unul dintre motivele pentru care tranzacționarea are loc în toate piețele financiare.

Din acest motiv, considerați conceptul de probabilități ca pe un ajutor subiectiv în luarea deciziilor, care vă ajută să vă desfășurați tranzacțiile în funcție de ideile personale și de cerințele individuale.

Managementul Riscului Și Al Capitalului Monetar

Un scurt rezumat al celor mai importante fapte:

> Pe lângă minimizarea riscului, este important să faceți o planificare concretă a țintelor/obiectivelor de profit.

> În special pe piețele volatile, este logic să vă asigurați în mod regulat profiturile acumulate.

> Atunci când determinați profiturile, întrebați-vă: Unde este cel mai probabil să se îndrepte piața?

> Raportul risc/recompensă - RRR - poate fi calculat folosind componentele definite de risc și profit, care indică relația dintre profit și riscul asumat.

> Tranzacțiile cu un raport risc/recompensă mai mic de unu au un risc prea mare în comparație cu profitul așteptat și trebuie evitate.

> Aveți șanse realiste cu un raport risc/recompensă între unu și doi.

> Cu cât ținta de profit este mai departe de prețul de pornire și cu cât raportul risc/recompensă planificat este mai mare, cu atât este mai mică probabilitatea ca ținta să fie atinsă în viitorul apropiat fără corecții de preț.

> Mai important decât raportul risc/recompensă planificat este raportul risc/recompensă realizat pentru controlul profesional al performanței.

> Cu un raport risc/recompensă mai mare de unu, vă puteți permite să aveți mai multe pierderi fără a suferi o pierdere totală.

CAPITOLUL 4:
Managementul riscului și al capitalului monetar în practică

Acțiuni, Forex și Futures - Cum să aplicați în mod profesionist gestionarea riscurilor și a banilor în contul dvs. de tranzacționare

Cum puteți transfera în mod profesionist în practică gestionarea riscurilor și a banilor în forma pe care o cunoașteți acum? La ce trebuie să acordați atenție și cum arată posibilele calcule și rezultate? Să-i vizităm pe cei trei investitori cobai ai noștri și să ne uităm peste umerii lor în timp ce își planifică pozițiile.

Să-l vizităm mai întâi pe Rick, traderul nostru forex:

Mă gândisem deja la riscul pe care mi-l asumam și presupun că țintele de preț mai mari pot fi atinse în mod regulat în tranzacționarea forex. Cred că există atât de multă volatilitate pe piața forex, încât ar trebui să existe întotdeauna un raport bun între risc și recompensă pentru mine. Pe de altă parte, nici eu nu vreau să aștept o veșnicie pentru a-mi obține profiturile. Vreau să intru și să ies rapid. Prin urmare, pentru mine, un raport risc/recompensă de 1,5 are sens. Am studiat deja analiza tehnică în profunzime, așa că voi găsi mulți potențiali câștigători!

Este bine și important să recunoști dacă vrei să aștepți succesul sau dacă vrei să îl obții rapid. Rick a luat o decizie clară în acest caz și, de asemenea, a subliniat deja că dorește să acționeze destul de agresiv. Un raport risc/recompensă de 1,5 este suficient de mare pentru a compensa eventualele pierderi suferite. Dacă Rick are dreptate cu afirmația sa și nu numai că se așteaptă la numeroase operațiuni profitabile , dar le și realizează, atunci, pe această bază, va face progrese bune spre obiectivul său. Dacă, pe de altă parte, operațiunile neprofitabile (pierzătorii) sunt în mod clar majoritari, atunci el trebuie să își reconsidere cifra-țintă de profit.

Rick ne-a adus, de asemenea, o tranzacție pe care vrea să ne-o prezinte:

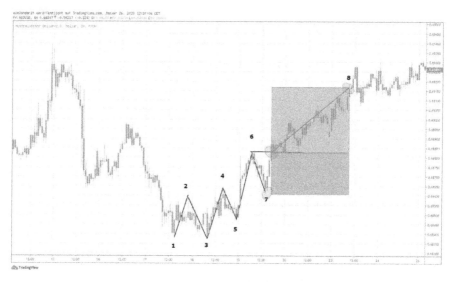

Figura 25: AUD/USD, grafic de 60 de minute (o lumânare = 60 de minute). Punctele 1 - 7 marchează maximele și minimele respective în cadrul mișcării de trend. Punctul 6 marchează nivelul de intrare, punctul 7 este stop loss, iar punctul 8 marchează ținta tranzacției cu un RRR = 1,5. Dreptunghiurile reprezintă grafic raportul risc/recompensă. Sursa: www.tradingview.com

În analiza mea de AUD / USD, am descoperit o oportunitate bună pe graficul de 60 de minute. Am identificat un început de trend ascendent care urma să se stabilească după formarea unui dublu bottom . În punctul 1, am găsit un minim, care a fost urmat de un maxim în punctul 2. Cu punctul 3, s-a format un minim la același nivel cu minimul 1, ceea ce pentru mine a fost un prim semn că ar putea exista un bottom . Când a fost atins un nou maxim cu punctul 4, urmat de un minim mai mare la 5 și o creștere abruptă până la 6, am decis să cumpăr dolar Australian/ dolar American cu spargerea ultimului maxim la punctul 6. Și, într-adevăr, s-a format un minim mai mare la punctul 7! Odată cu depășirea maximului de la punctul 6, configurația mea a fost completă și am deschis tranzacția!

Planificarea mea asociată este următoarea:

Rick	Dimensiunea contului	Riscul pe tranzacție în procente	Risc pe tranzacție în USD	Intrare	Stop Loss
	$5,000.00	1.0%	$50.00	$0.68833	$0.68610

Risc în Pips	Dimensiunea poziției	RRR	Profit în Pips	Obiectivul de profit	Profit în USD
$0.00223	$22,421.52	1.5	$0.00354	$0.69188	$79.48

Figura 26: Planificarea lui Rick pentru tranzacția sa

Deoarece tranzacționarea pe piața valutară se desfășoară 24 de ore pe zi, am adăugat un ordin de cumpărare stop la intrarea mea, astfel încât să nu trebuiască să aștept până când intrarea mea este atinsă pentru a intra manual. În același timp, mi-am introdus stop loss-ul și ținta după deschidere, astfel încât să fiu acoperit în jos la deschidere și să-mi pot lua profiturile în sus. În calculele mele, spread-ul este planificat cu doi pips, pe care i-am adăugat la ținta mea. Nu există comisioane percepute de brokerul meu pentru tranzacționarea pe piața valutară, așa că nu trebuie să fac față unor costuri suplimentare. Deoarece tranzacționarea pe piața forex este foarte lichidă, nu am inclus un slippage sub forma unei execuții proaste.

Pe baza valorii mele de risc pe tranzacție, pot merge cu un risc de 50 $. Dacă scad prețul de la stop loss din prețul de intrare, ajung la un risc de

22 de pips. Cu ţinta mea de RRR = 1,5, rezultă un câştig de 33 pips. Dacă adaug spread-ul, acesta este de 35 de pips. Adaug acest lucru la preţul de la intrare şi am calculat deja preţul la ţintă. Calcularea mărimii poziţiei mele este unul dintre acele lucruri, totuşi. Având în vedere că am la dispoziţie puţin peste 22.000 de dolari ca dimensiune a poziţiei, mă bucur că brokerul meu oferă şi valori mici. Cu două mini- şi două micro-loturi, pot plasa pe piaţă orice până la 421 de dolari.

După ce mi-am calculat obiectivul, m-am uitat pe grafic pentru a vedea cât de probabil este ca obiectivul meu să fie atins. A trebuit să realizez că pe drumul spre linia de sosire există încă o rezistenţă care aşteaptă acolo unde trendul descendent recent a făcut un Higher Low. Aici, este probabilă cel puţin o reacţie pe termen scurt sau o pauză în tendinţa ascendentă. Cu toate acestea, presupun că preţul va depăşi în cele din urmă această rezistenţă, deoarece trendul descendent pare să se fi încheiat. Dacă, contrar aşteptărilor, cotaţia merge împotriva direcţiei mele preferate, sunt acoperit de stop loss, pentru orice eventualitate.

Volumul de tranzacţionare a fost foarte mic în deschidere. Imediat după ce s-a executat ordinal de stop-loss am fost oprit din tranzacţionare şi cotaţia perechii valutare a mers în lateral(sideways) pentru o vreme. Aşa cum era de aşteptat, mişcarea în sus a făcut o mică corecţie în zona de rezistenţă, dar, din fericire, nu a coborât cu adevărat. După aceea, preţul a urcat din nou, urmat de încă două corecţii de preţ şi a intrat apoi în ţinta mea de profit. Privind retrospectiv, aş fi putut, de asemenea, să ating un RRR mai mare, deoarece preţul a crescut cu 10 pips după ieşirea mea."

Dacă vă uitaţi mai atent la punerea în aplicare a planului lui Rick, consecinţa pentru dvs. va fi că va trebui să vă rotunjiţi în mod regulat mărimea poziţiei sau a sumei investite în sus sau în jos. Deşi în planificarea lui Rick a fost specificată o mărime a poziţiei de 22 421 de dolari, acesta a reuşit să poziţioneze pe piaţă doar 22 000 de dolari cu mini şi micro loturi. Deşi diferenţa nu este cutremurătoare, ea se reflectă în rezultate. Atât riscul asumat, cât şi profitul obţinut sunt uşor sub nivelul planificat din cauza dimensiunii poziţiei ajustate în jos. Acest lucru arată că trebuie să vă adaptaţi întotdeauna calculele la posibilitățile pieței și ale perechii valutare . Pe parcursul tranzacției, răbdarea lui Rick a fost pusă la încercare și a trebuit să mențină poziția prin mai multe corecții de preț. În cele din urmă, vedem că un RRR moderat de 1,5 trebuie aprofundat de investitor.

Cum și-a abordat Anna - traderul nostru de poziție - planificarea?

Deoarece am tendința de a avea o viziune pe termen lung, o țintă de preț prea mică nu are sens pentru mine. Cred chiar că vreau să-mi ofer mie și tranzacției mele o marjă de manevră mare, astfel încât să nu fiu nevoit să schimb prea des pozițiile. Când observ o tendință a prețului, vreau să rămân cu ea cât mai mult timp posibil! Din acest motiv, am decis să stabilesc raportul risc/recompensă planificat la 2,5. Acest lucru este adesea în limitele a ceea ce este fezabil. Dar știu, de asemenea, că va trebui probabil să trec prin una sau două corecții aici pentru a-mi atinge obiectivul. Cu toate acestea, mă simt bine și această abordare mi se potrivește mie și atitudinii mele. Am luat un pic mai mult risc în această poziție, dar aștept și un pic mai mult profit în schimb.

Anna își execută tranzacțiile pe graficul săptămânal și, astfel, tranzacționează automat pe un termen mai lung. Obiectivul obișnuit de a atinge un raport risc/recompensă de 2,5 este ambițios și depinde în cele din urmă de piață și de puterea tendinței de creștere/scădere. În special atunci când se analizează graficul săptămânal, tendințele intră adesea în joc în mod clar, iar creșterile și scăderile pe termen scurt din graficul zilnic nici măcar nu sunt vizibile. Cu o gestionare adecvată a tranzacțiilor, Anna poate obține rezultate bune cu abordarea sa.

Anna vrea să ne prezinte și ea o tranzacție și ne împărtășește gândurile ei:

Am identificat o configurație interesantă în graficul săptămânal Apple (AAPL) și mi-am făcut calculele pe baza acesteia:

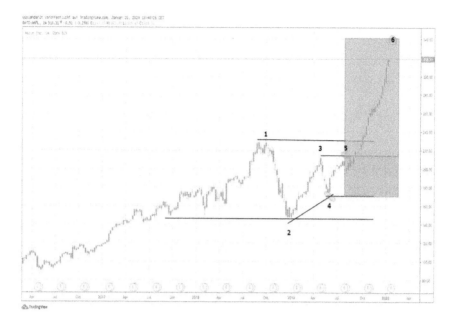

Figura 27: APPLE INC (AAPL), grafic săptămânal (o lumânare = o săptămână). Punctele 1 - 4 marchează maximele și minimele respective în cadrul mișcării de trend. Punctul 5 marchează intrarea, punctul 4 este, de asemenea, stop loss, iar punctul 6 marchează ținta de profit a tranzacției cu un RRR = 2,5. Dreptunghiurile reprezintă grafic raportul risc/recompensă respectiv. Sursa: www.tradingview.com

Din octombrie 2016, AAPL se află pe o tendință ascendentă pe termen lung, evoluând constant în sus prin prisma prețului. După ce AAPL a făcut o corecție bruscă de la punctul 1 în octombrie 2018 și a atins punctul 2 două luni mai târziu, AAPL a urcat din nou până la punctul 3 și apoi s-a întors la punctul 4 - un minim mai ridicat. Pentru mine, acesta a fost un prim semn că aș putea să mă uit mai atent la acțiune. Când AAPL s-a îndreptat din nou spre nord după corecția prețului până la punctul 4, am decis să folosesc o depășire a rezistenței de la punctul 3 ca intrare.

În consecință, calculele mele arată după cum urmează:

Anna	Account size	Risk per trade in percent	Risk per trade in USD	Entry	Stop Loss
	$25.000	1.50%	$375	$216	$166
Risk per share	**Position size**	**RRR**	**Profit in Pips**	**Profit target**	**Profit in USD**
$50	7.5	2.5	$125	$341	$938

Figura 28: Calculul Annei

Am decis să îmi asum un risc de 1,5% pentru contul meu de tranzacționare. Asta înseamnă 375 de dolari în prezent. Dacă includ în calculele mele punctul de intrare în tranzacție la 216 dolari și stop loss la 166 dolari, pot cumpăra șapte acțiuni. Cum nu există jumătăți de acțiuni, trebuie să rotunjesc în jos.

Cu toate acestea, în timpul analizei graficului, am descoperit apoi că ținta mea calculată cu un RRR = 2,5 la 341 de dolari este un multiplu maxim al tuturor timpurilor, așa că va trebui cu siguranță să mă adaptez la mai multe corecții. Mai ales în zona fostului maxim și, de asemenea, a numărului rotund de la 300 de dolari, probabilitatea unei reacții a pieței este foarte mare. Cu toate acestea, îmi mențin poziția. Vreau neapărat să iau poziție, nu numai pentru că îmi plac produsele lor, ci și pentru că sunt de părere că Apple este încă cu mult înaintea concurenților săi. Sunt bine acoperit de stop loss-ul meu și îl pot urmări în gestionarea tranzacțiilor mele.

După cum se pare, AAPL a depășit ultimul maxim fără nicio ezitare. Deși corecția de la 300 de dolari nu a avut loc, acțiunea a mers puternic în direcția obiectivului meu de profit. Deși mai lipsesc câțiva dolari, sunt sigur că AAPL va atinge ținta mea de profit, indiferent de situație. Pentru a mă asigura că profiturile câștigate rămân în buzunarele mele, gestionez tranzacția cu un stop loss trailing mai strâns.

Ceea ce mai trebuie să deduc din profitul meu sunt taxele de intrare și de ieșire. Întrucât sunt un investitor pe termen lung, spread-ul de 0,02 euro [10]pe acțiune este neglijabil pentru mine.

Anna rămâne încrezătoare și răbdătoare pe tot parcursul tranzacției. Ea a efectuat analiza grafică în mod conștiincios și a limitat cu strictețe riscul și și-a asigurat profiturile în timpul tranzacției. O pierdere nu ar fi aruncat-o de pe drumul cel bun. Așadar, nu există niciun motiv pentru Anna să fie ezitantă sau să se certe. În calitate de trader de poziție, ea are un orizont de timp mai lung, după cum se poate observa din durata tranzacției de șase luni. Faptul că apar corecții în timpul unei perioade de deținere de câteva luni este normal și face parte din tranzacționare. . No understanding of the sense of the phrase.Delete.

Nu în ultimul rând, Peter ar dori să discute cu noi despre ideea sa de tranzacționare și despre planificarea rezultată. Care este planificarea pentru traderul nostru de futures?

Este important pentru mine să fiu compensat corespunzător pentru riscul pe care mi l-am asumat. Prin urmare, un raport risc/recompensă de 2,0 este adecvat pentru mine. Astfel, pot ieși din nou de pe piață și nu risc să mă confrunt nefericit cu pierderi din cauza unor circumstanțe nefavorabile.

Înainte de a continua, haideți să vorbim puțin despre lacune. Traderii riscă în mod regulat să fie surprinși de un "gap" sau de un "decalaj de preț" în pozițiile overnight. Pentru un trader care speculează pe prețuri în creștere, un gap nu înseamnă nimic mai mult decât faptul că prețul de deschidere de dimineață poate fi semnificativ mai mic decât prețul de la închiderea din ziua precedentă. În acest caz, vorbim de un "down gap"." Pentru un trader care speculează pe prețuri în scădere, gap-ul este corespunzător dacă prețul de dimineață este peste prețul de închidere din ziua precedentă. Sinonimul pentru acest lucru este atunci "up gap". "

---

[10]   Pentru intrarea Annei, prețul de cumpărare este 216 dolari, iar prețul de vânzare este 216,02 dolari. Pentru ieșirea Annei, prețul de cumpărare este 341$ și prețul de vânzare 341,02$. Traderii cumpără la prețul de vânzare și vând la prețul de cumpărare.

Riscul unui decalaj de preț este suportat de fiecare trader care deține poziții peste noapte. Și aici se aplică următoarele: Cu cât vă poziționați pe termen mai scurt, cu atât mai mare va fi impactul unui decalaj de preț asupra gestionării riscurilor. De exemplu, dacă vă planificați tranzacțiile pe un grafic săptămânal, precum Anna, de multe ori nu veți observa niciun decalaj de preț. Pe de altă parte, dacă vă planificați tranzacțiile ca Rick în graficul de 60 de minute, atunci un decalaj al prețului poate avea un impact puternic asupra gestionării riscurilor dumneavoastră. Este posibil ca ulterior să ieșiți din poziția dvs. la un preț semnificativ mai prost, deoarece ordinul dvs. de stop loss a fost executat la un preț semnificativ mai mic decât cel pe care l-ați planificat.

În consecință, existența decalajelor(gaps) de preț este, de asemenea, un motiv bun pentru a vă proiecta managementul riscului în mod defensiv și pentru a nu-l epuiza până la ultimul cent.

Să ne întoarcem la Peter. *Îmi place să prezint o tranzacție în Gold future. În funcție de mărimea contului meu, am ales e–Micro, tranzacționat la Comex.*

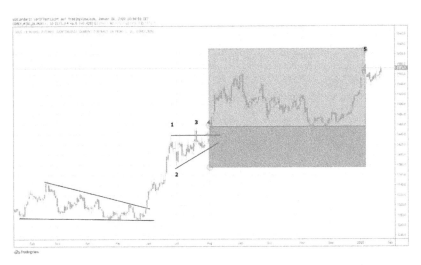

Figura 29: MICRO GOLD FUTURE MGC, grafic zilnic (o lumânare = o zi). Punctele 1, 3, 4 marchează maximele egale care formează o rezistență, iar punctul 2 este minimul formării unui triunghi ascendent. Punctul 4 marchează

intrarea, punctul 2 marchează stop loss și punctul 5 obiectivul de profit calculat al tranzacției. Dreptunghiurile reprezintă grafic raportul risc/recompensă respectiv. Sursa: www.tradingview.com

După o spargere a triunghiului descendent, aurul a crescut până la punctul 1 și a făcut o corecție a prețului până la punctul 2, după ce prețul a atins un maxim mai mult sau mai puțin egal la punctul 3. Următoarea corecție nu a mers la fel de departe ca prima, la fel ca și următoarea, după ce a atins punctul 4. Per total, s-a format un triunghi ascendent și am avut ideea de a urma tendința stabilită atunci când prețul va sparge zona de rezistență.

Iată calculele mele pentru tranzacția mea:

Peter	Account size	Risk per trade in percent	Risk per trade in USD	Entry	Stop Loss
	$15,000	0.75%	$112.50	$1,455.30	$1,377.40
Risk per lot	Position size	RRR	Profit in ticks	Profit target	Profit in USD
$77.90	1.44	2	$156	$1,611	$225

Figura 30: Peters își planifică tranzacția cu aur.

În calculele mele, am procedat în așa fel încât am căutat mai întâi semnele corespunzătoare pe grafic pentru intrarea mea în piață, stop lossul aferent și ținta mea de câștig. Ținta a fost stabilită de raportul risc/recompensă planificat de doi și nu am putut găsi nicio rezistență semnificativă în drumul spre ea. Dacă aurul continuă să rămână în tendința sa ascendentă, atunci probabil că va trebui să îndur câteva corecții pe drumul spre ținta de profit, dar sunt bine protejat în partea de jos. Prin urmare, punctele de acțiune au fost stabilite pentru mine. Bineînțeles, nu puteam cumpăra fracțiuni de futures, așa că am rotunjit ordinul meu la unu. Mai bine să fiu în siguranță decât să-mi pară rău. După deschiderea tranzacției, aurul a urcat inițial direct în sus și am crezut că va fi o tranzacție profitabilă rapidă. Dar, după ce a ajuns în zona de aproximativ 1.540 de dolari, prețul a mers lateral pentru o perioadă destul de lungă de timp și de mai multe ori cotația a ajuns la cotația mea de intrare . Nu este cel mai bun sentiment - pot să vă spun. Dar, până la urmă, am rămas ferm și am strâns din dinți. Apoi, brusc, după ce a testat zona de outbreak din partea superioară și a format un suport, prețul a urcat și ținta mea de profit a fost atinsă.

După concluziile teoretice din părțile și secțiunile anterioare, am reușit să urmărim ideile în executarea celor trei investitori în practică. Toți cei trei actori ai pieței au putut raporta din experiențe diferite. În cazul lui Rick, el a trebuit să treacă prin mai multe corecții de preț, chiar dacă ținta sa de profit nu era atât de mare. Acest lucru arată că un obiectiv de profit ridicat poate fi atins atunci când există o volatilitate ridicată. Dar dacă nu există, poate dura ceva timp până când prețul atinge ținta de profit, așa cum a fost cazul lui Rick în cazul tranzacției sale.

Anna a planificat pe termen lung și și-a stabilit un obiectiv foarte înalt, cu un raport risc/recompensă ridicat. Pe parcursul tranzacției, ea a fost destul de norocoasă, deoarece AAPL a mers direct și fără nicio corecție a prețului spre ținta ei de profit. Chiar dacă tranzacția ei este încă în desfășurare, gestionarea strânsă a tranzacției sale se asigură că păstrează o mare parte din profiturile acumulate.

Experiența lui Peter a arătat că ai nevoie de un plan bun și de nervi tari pentru a-ți menține profitabilitatea în piață. După un început bun, el a trebuit să treacă printr-o corecție bruscă, care a eliminat profitul contabil pe care aurul îl făcuse până în acel moment. În acel moment, mulți traderi devin neliniștiți și riscă să își închidă prematur poziția. Peter, pe de altă parte, și-a respectat planul și a avut succes în final tocmai din acest motiv. În acest sens, o planificare profesionistă a unei tranzacții este condiția de bază pentru a-ți păstra nervii în timpul execuției.

Un scurt rezumat al celor mai importante fapte:

> Chiar și un raport risc/recompensă scăzut planificat poate necesita mai mult timp decât cel planificat pentru a fi realizat.

> Adesea, dimensiunea calculată a poziției nu poate fi plasată integral pe piață din cauza lipsei de divizibilitate.

> Pentru a realiza un raport risc/recompensă ridicat, trebuie luate în considerare corecțiile. Trebuie să treceți prin acestea dacă doriți să vă atingeți obiectivul materializat în profit.

2

PARTEA

De la a fi profesionist la a deveni un investitor de top

CAPITOLUL 5:
Managementul riscului și al banilor la pătrat

De fapt, știți deja tot ce trebuie să cunoașteți pentru a face primii pași cu succes pe piețele financiare. Cel puțin în ceea ce privește limitarea riscurilor și asigurarea profiturilor, nimeni nu vă va mai păcăli vreodată. Desigur, vă puteți aprofunda cunoștințele despre analiza tehnică a graficelor sau puteți afla mai multe despre propria personalitate ca trader. Dar, de fapt, aveți deja instrumentele necesare pentru a deveni un trader profitabil.

Să profităm de această ocazie pentru a aprofunda cunoștințele existente și a le duce la nivelul următor. Când vine vorba de gestionarea banilor, este vorba de mai mult decât de "simpla" protecție a profiturilor. În esență, gestionarea banilor înseamnă exact asta: gestionarea banilor dumneavoastră - capitalul dumneavoastră disponibil. În consecință, obiectivul unui management profesionist al banilor trebuie să fie acela de a combina factorii de influență ai tranzacțiilor dvs. în așa fel încât să se obțină cele mai bune rezultate posibile în totalitatea tranzacțiilor dvs.

Ați ajuns să cunoașteți și să internalizați unii dintre acești factori de influență și îi aplicați deja cu succes. Limitarea riscului este o parte esențială și fundamentală, dar și determinarea raportului risc/recompensă al fiecărei tranzacții face parte din aceasta. Ținând cont de acest lucru, acum aducem în sfârșit împreună managementul riscului și managementul banilor.

Mai sunt încă două aspecte pe care trebuie să le luăm în considerare mai întâi pentru a completa imaginea noastră de ansamblu. În acest scop, vom părăsi examinarea tranzacțiilor individuale și vom analiza mai îndeaproape suma tranzacțiilor dintr-o perioadă specifică .

Cu cât mai multe, cu atât mai bine... Ce influență au acuratețea analizei dvs. și numărul de tranzacții asupra succesului dvs. de tranzacționare?

Ne-am concentrat anterior considerațiile noastre asupra modului de planificare și executare a tranzacțiilor individuale. Acum, în practică, nu faceți doar o singură tranzacție și apoi vă încheiați cariera de tranzacționare. În funcție de stilul de tranzacționare pe care îl alegeți, este posibil să fi deschis și închis mai multe poziții în cursul unei zile. Cu toate acestea, cu siguranță vă veți uita înapoi la un număr mare de tranzacții executate la sfârșitul unei luni și cu siguranță la sfârșitul unui an.

Este logic că, având în vedere numărul total de tranzacții, nu există doar tranzacții profitabile (câștigători), ci și tranzacții perdante (pierzători) în mod regulat. Acest lucru este perfect normal și face parte din tranzacționare. Pierderile fac parte din afacere; acest fapt trebuie pur și simplu acceptat. Pentru a obține o impresie concretă a rezultatelor dvs. pe termen mediu și lung și, de asemenea, pentru a obține puncte de plecare exacte pentru îmbunătățirea personală a rezultatelor, vă recomand să țineți o evidență detaliată a rezultatelor dvs. de tranzacționare în acest moment. Creați-vă un jurnal personal de tranzacționare în care să notați cele mai importante puncte cheie ale tranzacțiilor dumneavoastră. Acestea includ:

1. Datele produsului comercializat:

    > Denumirea sau simbolul acțiunii, al ETF-ului, al perechii valutare sau al activului suport în general

    > Direcția de tranzacționare: lungă sau scurtă

    > Descrierea strategiei de tranzacționare

> Moneda activului

2. Date inițiale / cumpărarea de titluri de valoare:
    > Număr de unități
    > Data
    > Preț de intrare
    > Dimensiunea poziției
    > Taxe

3. Date de planificare:
    > Stop Loss
    > Obiectivul (obiectivele) de profit
    > Raportul risc/recompensă planificat

4. Date de ieșire / vânzarea de titluri de valoare:
    > Număr de unități
    > Data
    > Prețul (prețurile) de ieșire
    > Poziție Valoare
    > Taxe

5. Evaluarea tranzacțiilor efectuate :
    > Perioada de deținere
    > Profitul/pierderea realizat(ă) pe unitate
    > Total profit/pierdere realizat(ă)
    > Raportul risc/recompensă realizat

6. Statistici totale:
    > Total operațiuni profitabile (câștigători)
    > Total operațiuni neprofitabile (perdanți)
    > Raportul risc/recompensă realizat în ansamblu

> Numărul tuturor tranzacțiilor executate

> Profit/pierdere globală

Puteți extinde această listă așa cum doriți, adăugând alte puncte și evaluări statistice care sunt importante pentru dumneavoastră. Totuși, pentru considerațiile noastre, aceste puncte ar trebui să fie suficiente. Numai din aceste puncte veți putea obține multe informații importante pentru tranzacționarea dumneavoastră. Printre altele, puteți vedea negru pe alb câți "câștigători" și câți "perdanți" și-au găsit drumul în jurnalul dumneavoastră de tranzacționare într-o perioadă definită.

Putem pune în relație numărul de câștigători și de pierzători dintr-o perioadă de timp - de exemplu, un an - pentru a le lua în considerare în continuare. Putem determina cât de mare este numărul de operațiuni câștigătoare în numărul total al tranzacțiilor noastre. Aceasta este rata de succes:

$$\frac{Num\check{a}r\ tranzac\c{t}ii\ c\^{a}\c{s}tig\check{a}toareN}{Num\check{a}r\ de\ tranzac\c{t}ii\ \^{i}n\ total} = Rata\ de\ succes$$

Rata de reușită vă spune cu ce probabilitate istorică o tranzacție conform strategiei dvs. duce la profit sau devine perdantă. Cu această declarație obțineți cel puțin o perspectivă parțială asupra calității tranzacțiilor și analizelor dumneavoastră.

În practică, mulți investitori se concentrează adesea în mod intensiv pe obținerea celei mai mari rate de succes posibile. Aceasta devine rapid măsura tuturor lucrurilor. Cu cât mai mare, cu atât mai bine.

Cum ar trebui să judecăm acest lucru? Este rata de succes cu adevărat măsura tuturor lucrurilor?

Să presupunem că vorbiți cu un investitor care vă spune că are o rată de succes de 99%. Din 100 de tranzacții executate de el, 99 sunt câştigătoare. Vorbiți cu un trader bun? Un talent excepțional? Un maestru al profesiei sale?

Nu ştim. Nu putem. Pentru că, pentru a judeca dacă un trader cu o rată de succes ridicată este un trader bun, trebuie să aruncăm o privire în spatele scenei. Întrebarea la care trebuie să răspundem în acest context este în ce circumstanțe a fost obținut acest rezultat.

Imaginați-vă că acest investitor vă spune că nu practică managementul riscului. *Nu am nevoie de un stop loss, am o rată de succes de 99%.* Sau: *Dimensiunea optimă a poziției pentru mine este întregul cont. Am o rată de succes de 99%.* Sunt sigur că deja înțelegeți încotro se îndreaptă acest lucru. În aceste condiții, chiar şi o tranzacție neprofitabilă din 100 conduce la o pierdere totală a sumelor de bani din cont.

Aşadar, data viitoare, vă rugăm să întrebați în mod critic în ce circumstanțe a fost obținută o rată de succes ridicată. Numai atunci veți avea o imagine de ansamblu.

Poate că vă întrebați acum cât de mare trebuie să fie rata de succes pentru a putea acționa cu succes. Nu se poate da un răspuns cu adevărat definitiv la această întrebare până când nu analizăm circumstanțele suplimentare. Putem spune doar atât: Chiar şi cu o rată de reuşită mai mică de 50%, aveți şansa de a deveni un trader de mare succes şi foarte profitabil. Am stabilit deja acest lucru atunci când am derivat dimensiunea optimă a poziției.

Următorul punct se potriveşte cu acesta. Presupunând că aveți de fapt o rată de reuşită mai mică de 50%. La ce trebuie să acordați o atenție deosebită atunci când vă selectați şi vă planificați pozițiile? Corect. Trebuie să vă asigurați că, la fiecare câştig, obțineți de pe piață o sumă semnificativ mai mare decât ați fi pus pe piață cu o tranzacție perdantă . Aici intervine din nou raportul risc/recompensă.

Haideți să folosim rata de succes pentru a discuta despre ceva mai fundamental. Rata de reuşită descrie procentul de câştigători în rezultatul general. În sens invers, prin urmare, şi numărul de perdanți.

Haideți să aruncăm o privire generală asupra situației de a pierde în acest moment. Ce părere aveți? Vă place să pierdeți? Poți să dai înapoi, să te retragi? După o înfrângere, puteți continua așa imediat?

Să ne confruntăm cu înfrângerea nu este ușor pentru noi, prin natura noastră. Am discutat deja despre acest lucru atunci când am limitat riscurile. Acesta este motivul pentru care am introdus stop loss, pentru ca acesta să ne protejeze de pierderile mari și, astfel, să ne facă riscul previzibil și calculabil.

Ce înseamnă, în general, să pierzi? Nu trebuie să fie vorba întotdeauna de pierderea unei sume financiare. Pierderea este multiplă. De exemplu, puteți pierde și într-o discuție - ca un exemplu. Sau pierdeți meciul de fotbal deja menționat. Știm cu toții cum ne face să ne simțim acest lucru. Și știm, de asemenea, că vom face tot ce ne stă în putință pentru a evita să pierdem data viitoare, astfel încât să ne numărăm din nou printre învingători.

Ceea ce este cu siguranță corect și important în viața normală este exact opusul în tranzacționare. În tranzacționare, pierderile fac pur și simplu parte din joc. Ele fac parte din ansamblu și nu pot fi evitate. Acesta este motivul pentru care performanța globală este întotdeauna importantă în tranzacționare. O singură tranzacție nu este decisivă cu o gestionare adecvată. Nici într-o direcție, nici în cealaltă. Prin urmare, obiectivul dvs. trebuie să fie obținerea unui rezultat pozitiv în suma totală, nu într-o singură tranzacție.

În acest moment, trebuie să ne întrebăm cum se produc pierderile și cine este responsabil pentru ele. Sunt sigur că există mai multe motive. Motivele se găsesc pe de o parte în piață, dar pe de altă parte și în noi înșine. Adesea în combinația dintre ambele.

Să ne uităm la o situație tipică care apare în fiecare zi în nenumărate săli de tranzacționare:

Imaginați-vă că v-ați deschis poziția după o cercetare și o analiză profesionistă și că v-ați plasat stop loss și ținta de profit pe piață.

Preţul se mişcă în direcţia dvs.; poziţia dvs. pare a fi câştigătoare şi vă vedeţi deja cu homerun-ul, când, brusc, preţul se întoarce şi se apropie din nou, încet, dar sigur, de preţul de cumpărare al dvs. Tranzacţia ameninţă să meargă în direcţia greşită şi, după ce aţi renunţat deja la profit, nu vreţi să intraţi şi în pierdere. Stop loss sau nu, dar acesta nu era rezultatul dorit. Poziţia este închisă rapid şi ieşiţi de pe piaţă la punctul de intrare cu "break even". " Vă sună cunoscut acest lucru?

Aţi încheiat tranzacţia chiar dacă niciuna dintre perspectivele dvs. de mărire a preţului activului dorit nu a fost atinsă. În cele din urmă, v-aţi aruncat în afara pieţei. De ce? Pentru că nimănui nu-i place să piardă. Mai ales nu la rând. Întreabă-te: ce înseamnă când pierzi în tranzacţionare? Nu înseamnă nimic altceva decât că, în primul rând, pierzi bani şi, în al doilea rând, că, în mod evident, te-ai înşelat în opinia ta. Aşadar, este mai bine să pui "frână" şi să opreşti tranzacţia înainte ca pierderea să se acumuleze, nu-i aşa? Să ieşi fără să-ţi pierzi încrederea în forţele tale şi banii este ceea ce am putea numi această abordare.

În acest fel, o potenţială operaţiune câştigătoare devine o operaţiune perdantă şi un învins sigur, care pune presiune psihologică pe investitor.

Haideţi să aprofundăm şi mai mult această întrebare. Cine decide dacă tranzacţiile dvs. sunt câştigătoare sau perdante? Dumneavoastră sau piaţa? Desigur, există un singur răspuns rezonabil la această întrebare - piaţa decide rezultatul tranzacţiilor dumneavoastră! Punct. Dar atunci apare o întrebare: De ce mulţi traderi împiedică piaţa să ia această decizie şi o aleg arbitrar de unii singuri în schimb?

Nu uitaţi: După ce aţi deschis o poziţie, doar piaţa este cea care decide. Stop loss-ul vă oferă protecţie împotriva celui mai rău scenariu şi aţi câştigat deja siguranţa cu privire la rezultat. Nu puteţi influenţa direcţia ulterioară a poziţiei. Puteţi doar să lăsaţi tranzacţia să meargă şi să o gestionaţi în mod corespunzător.

Pierderea este întotdeauna legată de problema neplăcută a responsabilității pentru pierderea suferită. Cine credeți că este responsabil pentru pierderile dumneavoastră? Dumneavoastră, piața sau o terță parte anonimă? Și la această întrebare este ușor de răspuns. **Întotdeauna sunteți dumneavoastră!** Piața nu va deschide tranzacții în numele dvs. și sperăm că nici o terță parte anonimă nu o va face. Tu apeși pe buton: Cumpărați! Vindeți! Prin urmare, trebuie să învățați să vă asumați întreaga responsabilitate pentru tranzacțiile dumneavoastră.

Dacă v-ați făcut o analiză tehnică și de piață cât mai bună, iar gestionarea tranzacției a decurs conform planului de tranzacționare, nu trebuie să vă învinovățițiți dacă tranzacția se transformă în necâștigătoare . Nu aveți de ce să vă justificați. Asumă-ți responsabilitatea pentru acțiunile tale! Trebuie doar să recunoști că nu poți sau nu trebuie să ai întotdeauna dreptate 100%.

Apropo de responsabilitatea personală: Mulți traderi caută sfaturi în forumuri, cluburi sau comunități de unde obțin analize, semnale și strategii pentru tranzacționarea lor. Această abordare poate fi utilă în plus față de tranzacționarea dumneavoastră, dar, desigur, nu vă permite să externalizați responsabilitatea. Pentru că, indiferent de la cine provine în cele din urmă ideea de tranzacționare implementată, executarea unei tranzacții depinde în continuare exclusiv de dumneavoastră. În acest context, ar trebui, prin urmare, să fiți încurajat să vă puneți în aplicare propriile idei de tranzacționare și, în același timp, să acționați cu toată responsabilitatea.

Trebuie să învățați să faceți față pierderilor și să acceptați faptul că pierderile sunt pur și simplu o parte integrantă a unei tranzacții de succes. La începutul cărții am vorbit despre costuri în acest context. Desigur, doriți să mențineți costurile la un nivel scăzut, dar nu le puteți evita. Și, cu această înțelegere, trebuie să faceți față și pierderilor în tranzacționare.

Dacă vă dați seama, în analiza statisticilor de tranzacționare, că pierderile cumulate sunt mai mari decât profiturile cumulate, atunci, bineînțeles, este necesar să acționați. Atunci este necesar să analizați exact ce ajustări trebuie făcute pentru a întoarce rata de succese în favoarea dumneavoastră.

Rata de succes este, prin urmare, o componentă importantă în strategia de gestionare a banilor pentru a analiza și optimiza rezultatele.

În concluzie, rata de succes ne oferă o bună indicație a modului în care operațiunile profitabile (câștigurile) și operațiunile neprofitabile (pierderile) se încadrează în imaginea de ansamblu. Dar, de una singură, nu este semnificativă.

În plus față de riscul care trebuie asumat pentru fiecare tranzacție, raportul risc/recompensă și rata de succes, avem nevoie de un al patrulea element pentru a ne completa cu adevărat analiza.

În primul capitol al cărții, am analizat diferitele stiluri de tranzacționare. Am ajuns atât de departe încât ne-am aliniat în mod corespunzător expunerea la risc la diferitele stiluri de tranzacționare. Cel de-al patrulea element al nostru este cel puțin parțial legat de stilurile de tranzacționare. Pentru că ceea ce distinge la prima vedere diferitele stiluri de tranzacționare este numărul de poziții care pot fi deschise și închise într-o perioadă globală. Un trader intraday tranzacționează mult mai mult pe o bază săptămânală sau lunară decât un trader swing sau chiar un trader de poziție. Traderul intraday tranzacționează în decursul unei săptămâni poate chiar mai des decât tranzacționează traderul de poziție într-un an.

Și în acest caz, ne putem pune întrebarea dacă putem trage concluzii despre calitatea traderului prin prisma numărului de tranzacții. Până acum știți ce vizează această întrebare. Bineînțeles că nu. Avem nevoie de mai multe informații pentru a evalua corect numărul de tranzacții executate - frecvența tranzacțiilor.

Dacă auzim, de exemplu, de la un trader de poziție că a tranzacționat 300 de tranzacții într-un an, atunci această afirmație ne poate face să ne gândim. Dacă auzim aceeași afirmație de la un trader intraday, atunci această cifră ni se pare complet firească; poate că ne-am fi așteptat chiar mai mult.

Cu toate acestea, putem obține chiar mai multe informații dacă analizăm frecvența de tranzacționare. Dacă un trader execută 300 de tranzacții pe an, se pune întrebarea în ce măsură managementul riscului său este orientat în acest sens. Cum arată riscul pozițiilor sale individuale și care este riscul său global?

Mulți investitori () nu se gândesc la aceste aspecte la începutul carierei lor. Deoarece accesul la piețele financiare este acum la fel de ușor ca și cum ai comanda o carte, noii veniți riscă să se pripească în acțiunile lor și să se grăbească să intre pe piața de capital. Cu câteva clicuri se pot depune sume de bani în cont, se deschid primele poziții și câteva tranzacții fericite profitabile mai târziu, lumea tranzacțiilor este încântătoare. Controlul pierderilor? Greșit! Ținta de profit? Ei bine. Dimensiunea poziției? Este puțin diferită. Vă puteți imagina unde se ajunge. Și de aceea a fost important să vă gândiți la gestionarea riscurilor și de aceea a fost esențial să învățați elementele individuale ale gestionării profesionale a banilor.

Haideți să reunim aceste patru elemente și să nu le mai privim izolat, ci în interacțiune unele cu altele.

Ai încredere în statisticile tale . . .. Semnificația riscului, a raportului risc/recompensă, a ratei de succes și a frecvenței de tranzacționare în practică

Cu cele patru elemente prezentate, putem să ne profesionalizăm gestionarea banilor și să ne evaluăm rezultatele tranzacțiilor în context.

Să începem cu riscul. Limitarea riscului este o parte esențială a considerațiilor noastre și este singura modalitate de a vă asigura succesul în tranzacționare pe termen lung. Dar dacă ne limităm considerațiile la risc, nu vom ajunge departe. Simpla afirmație că folosiţi 1% din contul dvs. de tranzacţionare pe tranzacţie ca risc arată că vă limitaţi riscul, dar nimic mai mult.

Este bine dacă poţi pune şi riscul pe care ţi l-ai asumat în raport cu profitul pe care îl poţi obţine. Mai ales dacă profitul este mai mare decât riscul pe care trebuie să îl acceptaţi. Cu toate acestea, ceea ce contează aici nu este ceea ce este posibil, ci ceea ce a fost posibil de fapt - ceea ce s-a realizat. Privind raportul risc/recompensă vă va oferi indicii corecte pentru gestionarea riscurilor şi a banilor, precum şi pentru optimizarea rezultatelor dvs. de tranzacţionare doar dacă vă uitaţi la raportul risc/recompensă realizat. Cu toate acestea, doar dacă vă uitaţi doar la raportul risc/recompensă realizat nu vă va ajuta să vă optimizaţi rezultatele de tranzacţionare.

Apoi, să luăm în considerare rata de succes. Obţinerea unei rate de succes ridicate este dorinţa majorităţii investitorilor . Cu toate acestea, de asemenea, nu este utilizabilă în mod izolat. Dacă, pe de altă parte, analizaţi rata de succes în raport cu raportul risc/recompensă obţinut, veţi obţine informaţiile relevante de care aveţi nevoie pentru a vă optimiza rezultatele generale. Poftim - iată - un pas înainte.

În cele din urmă, frecvenţa de tranzacţionare a făcut obiectul consideraţiilor noastre. Comercianţii intraday tranzacţionează foarte mult, iar traderii de poziţii mai puţin. Conform acestei reguli de bază, am putea şterge rapid şi acest subiect. Am putea, dar nu o facem. Datorită faptului că pentru noi sunt ascunse nformaţii importante şi esenţiale, care sunt deosebit de importante în combinaţie cu rata de succes sau cu raportul risc/recompensă realizat.

Cu aceste elemente, consideraţiile noastre sunt complete şi, în sfârşit, analiza noastră este în mişcare. Haideţi să aducem aceste elemente împreună:

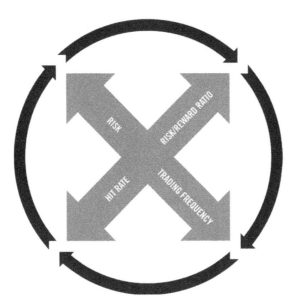

Figura 31: "Matricea de gestionare a banilor" arată interacțiunea dintre cele patru elemente ale gestionării profesionale a riscurilor și a banilor.

Putem utiliza "Matricea de gestionare a banilor" pentru a analiza interacțiunea dintre risc de poziție sau risc global, raportul risc/recompensă realizat, rata de succes și frecvența de tranzacționare. "Matricea de gestionare a banilor" este un instrument perfect pentru a analiza și a lua în considerare propriile rezultate de tranzacționare. Matricea vă sprijină, de asemenea, în planificarea și determinarea viitoarei dumneavoastră strategii de tranzacționare.

La începutul acestei secțiuni, s-a sugerat utilizarea unui jurnal de tranzacționare. Pe bună dreptate. Numai dacă vă documentați activitățile de tranzacționare le puteți evalua statistic. Nu este vorba de a calcula formule și valori complexe. Dimpotrivă, în marea majoritate a cazurilor, concluzia este de a privi elementele însumate în ansamblul lor și de a le compara. Iar rata de succes nu poate fi calculată decât din suma totală a tuturor tranzacțiilor.

Să presupunem că ați creat un astfel de jurnal de tranzacționare și ați determinat valori concrete pentru rata de succes, frecvența de tranzacționare și raportul risc/recompensă realizat. Cunoașteți deja riscul pe care vi-l asumați înainte de a deschide o poziție, independent de un jurnal de tranzacționare.

De exemplu,[11] ați început cu un cont de tranzacționare de 10.000 de dolari și vă analizați rezultatele la sfârșitul anului.[12] Veți afla că ați executat în total 100 de tranzacții. Cu fiecare tranzacție în parte v-ați asumat un risc de 1% din contul dvs. de tranzacționare, adică, o sumă absolută de 100 de dolari.[13] În general, ați reușit să obțineți un raport risc/recompensă realizat de 1,5, cu o rată de succes de 50%. Cum putem judeca acest rezultat?

Lăsați aceste cifre să aibă un efect asupra dumneavoastră la început. Ce părere aveți? Ce rezultate ar fi posibile dacă, de exemplu, ați fi realizat aceste cifre la sfârșitul unui an? La urma urmei, vă asumați "doar" un risc de 100 de dolari pe tranzacție.

Trading account	$10,000
Risk in percent	1.0%
Hit rate	50%
Risk/reward ratio	1.5
Risk in US Dollar	$100
Trading frequency	100
Total profit	$2,500

Figura 32: Elementele "Matricei de gestionare a banilor" în acțiune.

---

[11] În considerațiile noastre de mai jos, omitem în mod deliberat costurile și comisioanele aferente tranzacțiilor, deoarece sistematica este importantă pentru noi. Haideți să păstrăm "simplificarea"!

[12] Bineînțeles, puteți transfera informațiile descrise și pentru perioade mai scurte de timp.

[13] De dragul simplității, menținem constantă și această sumă. În practică, în mod firesc, este logic să se ajusteze treptat suma absolută în funcție de mărimea contului curent.

Putem spune că ați închis cu un profit total de 25% din contul dvs. de tranzacționare! Mai exact, raportul risc/recompensă realizat de 1,5 nu numai că v-a permis să compensați fiecare pierdere individuală, dar și să înregistrați un profit suplimentar pentru fiecare tranzacție câștigătoare. Deși ați încheiat fiecare a doua tranzacție în pierdere , ați reușit să tranzacționați mai mult decât profitabil. Datorezi acest lucru raportului risc/recompensă realizat de 1,5!

Cum ar fi arătat rezultatul dvs. dacă ați fi obținut un raport risc/recompensă realizat de 1? Putem calcula acest lucru rapid în mintea noastră. Rezultatul este zero.

În concluzie, putem afirma că tranzacționarea profitabilă este garantată până la un raport risc/recompensă realizat de puțin peste 1 și o rată de succes de 50%. Măsura în care rezultatul obținut atunci vă va ajuta în dezvoltarea contului dumneavoastră de tranzacționare este, desigur, o altă chestiune.

Să ne uităm la un alt exemplu: Să spunem că aveți o rată de succes de numai 40% cu aceiași parametri. Care este profitul tău total acum? Sau sunteți deja în zona roșie?

De fapt, nici una, nici alta. Cu un raport risc/recompensă realizat de 1,5 și o rată de succes de 40%, rezultatele dvs. de tranzacționare sunt exact zero! Nu sunt nici în profit, nici în pierdere - după ce totul s-a terminat.

Trading account	$10,000
Risk in percent	2.0%
Hit rate	40%
Risk/reward ratio	1.5
Risk in US Dollar	$200
Trading frequency	100
Total profit	$0

Figura 33: Elementele "Matricei de gestionare a banilor" în acțiune I. Am redus rata de succes la 40%.

Cu alte cuvinte, în concluzie, aveți nevoie de mult mai puțin de jumătate din numărul de operațiuni profitabile (câștigători) pentru a tranzacționa în mod profitabil. Cu toate acestea, trebuie apoi să acordați o atenție strictă raportului risc/recompensă realizat. Dacă vă situați sub un raport risc/recompensă de 1,5 cu o rată de reușită realizată de 40%, veți înregistra o pierdere globală.

În acest context, putem examina un alt punct pe care trebuie să îl evaluăm în strategia noastră de tranzacționare. Am ajuns la concluzia că rata de succes, frecvența de tranzacționare și raportul risc/recompensă sunt strâns legate. Rata de succes este, de asemenea, un bun punct de plecare pentru a determina dacă o strategie poate fi profitabilă în sine. Pentru a determina acest lucru, trebuie să ne uităm din nou mai atent la rata de succes și la frecvența de tranzacționare.

Pentru a rămâne la primul exemplu, putem deduce în ce măsură strategia noastră este profitabilă din faptul că am obținut un profit de 150 de dolari pe tranzacție într-o jumătate din cele 100 de tranzacții și o pierdere de 100 de dolari pe tranzacție în cealaltă jumătate. Putem calcula "valoarea așteptată" pornind de aici.

Pentru a face acest lucru, trebuie să înmulțim rata de reușită cu media operațiunilor câștigătoare și să scădem rata operațiunilor perdante înmulțită cu media operațiunilor perdante . Ceea ce pare complicat este ușor de calculat în practică.

*(Rata de success * Media tuturor tranzacțiilor câștigătoare)*

*- (Rata de pierdere * Media tuturor tranzacțiilor în pierdere) = Valoarea așteptată*

Cum se obține media tuturor tranzacțiilor câștigătoare și perdante? Pur și simplu adunați toate profiturile realizate și împărțiți-le la numărul de tranzacții care au fost încheiate cu profit. Procedați în același mod pentru media pierzătorilor.

Aplicat la primul nostru exemplu, putem calcula valoarea așteptată:

(50% * $150) - ((1–50%) * $100) = *Valoarea așteptată*

$75 - $50 = *Valoarea așteptată* = $25

Ce înseamnă acest lucru pentru strategia noastră de tranzacționare? În cele din urmă, acest lucru nu înseamnă nimic altceva decât că obținem un profit mediu de 25 de dolari la fiecare tranzacție. Indiferent dacă tranzacția individuală este câștigătoare sau perdantă, în medie obținem un profit de 25 de dolari în circumstanțele date. Acesta este un fapt liniștitor și arată încă o dată în mod clar că nu tranzacția individuală contează, ci totalitatea tuturor tranzacțiilor. Și, bineînțeles, acest lucru înseamnă, de asemenea, că putem și trebuie să optimizăm exact acest întreg - profit!

Putem calcula, de asemenea, valoarea așteptată pentru cel de-al doilea exemplu, în care am presupus o rată de succes de 40%.

(40% * $150)-((1–40%) * $100 = *Valoarea așteptată*

$60 - $60 = *Valoarea așteptată* = $0

Acest lucru confirmă calculele noastre anterioare. Rezultatul este, de asemenea, zero. Dacă tranzacționați ca în al doilea exemplu, nu vă mișcați mai departe. O tranzacție nu vă va duce nicăieri, așa cum nu vă va arunca înapoi. Cu toate acestea, în cele din urmă, sunteți întotdeauna la limita unei pierderi globale.

Prin urmare, dacă doriți să utilizați valoarea așteptată ca un criteriu de evaluare pentru strategia dvs. personală de tranzacționare, asigurați-vă că aceasta este pozitivă. De îndată ce valoarea așteptată cade în intervalul negativ, pierdeți bani în medie cu fiecare tranzacție!

Aceasta este o recomandare importantă pentru tranzacțiile viitoare. Fiți consecvenți în selectarea pozițiilor și intrați doar în tranzacții în care probabilitatea pare ridicată de a atinge raportul risc/recompensă planificat. În acest sens: *calitatea înaintea cantității*!

Mai este un aspect pe care trebuie să îl abordăm înainte de a ne continua reflecțiile. Până acum, considerațiile noastre s-au bazat întotdeauna pe ipoteza că fie realizați pierderea în totalitate, fie profitul în cuantumul planificat. Nu există nimic între ele. Vă puteți imagina cu ușurință că, în practică, veți realiza și tranzacții care vor fi undeva la mijloc în rezultatele lor. Aceasta, la rândul său, este o chestiune de gestionare a tranzacțiilor, pe care o vom aborda, printre altele, în capitolul următor. Până atunci, vom rămâne la abordarea "fie una, fie alta".

Cu ajutorul "Matricei de gestionare a banilor", dependența și influența reciprocă a celor patru elemente diferite poate fi, de asemenea, descrisă și recunoscută foarte bine. De fapt, acestea sunt atât direct, cât și indirect legate și se influențează reciproc. Dacă schimbăm un singur element constituent al matricei noastre, schimbăm rezultatul general. Puteți profita de acest fapt pentru planificarea rezultatului global.

Cum arată această influență reciprocă? Să ne uităm, de exemplu, la frecvența de tranzacționare. Să presupunem că intenționați să vă dublați frecvența de tranzacționare de la - să zicem - 100 de tranzacții la 200 de tranzacții. În acest fel, vă dublați rezultatul tranzacționării în circumstanțe identice.

Trading account	$10,000
Risk in percent	1.0%
Hit rate	50%
Risk/reward ratio	1.5
Risk in US Dollar	$100
Trading frequency	200
Total profit	$5,000

Figura 34: Elementele "Matricei de gestionare a banilor" în acțiune II. Am dublat frecvența de tranzacționare.

Ce efecte are acest lucru asupra riscului dumneavoastră, de exemplu? În același pas, desigur, vă dublați și riscul general. Dacă nu includeți acest aspect în considerentele dumneavoastră, puteți rămâne foarte repede în urmă.

Să luăm în considerare un alt aspect: Presupunând că vă creșteți raportul risc/recompensă planificat de la 1,5 la 3 cu efect imediat, ce înseamnă acest lucru pentru rezultatul dvs. general? Acesta va crește cu siguranță. Ce credeți - în circumstanțe de altfel identice - cu cât se va schimba probabil rezultatul dvs. global?

Trading account	$10,000
Risk in percent	1.0%
Hit rate	50%
Risk/reward ratio	3.0
Risk in US Dollar	$100
Trading frequency	100
Total profit	$10,000

Figura 35: Elementele "Matricei de gestionare a banilor" în acțiunea III.
Am dublat raportul risc/recompensă de la 1,5 la 3 în planificarea noastră.

Rezultatul global nu numai că s-a dublat, nu, s-a cvadruplat! Dar, înainte de a vă grăbiți să vă entuziasmați, să fim realiști. Cum va afecta modificarea raportului risc/recompensă planificat rata de succes? Putem spune dinainte că o modificare a raportului risc/recompensă va duce, de asemenea, la o modificare a ratei de succes. Este îndoielnic dacă veți atinge atunci și o rată de succes de 50%. După cum am descris deja, nu este nevoie de acest lucru pentru a fi profitabil. Cu toate acestea, rezultatul dvs. global în această interacțiune va fi cel mai probabil sub cvadruplarea obținută mai sus.

La urma urmei, ce se întâmplă dacă îți schimbi rata de succes? Să presupunem că vă puteți crește rata de reușită de la 50% la 60%. Din 100 de tranzacții, 60 de tranzacții se încheie cu profit. Doar acest lucru va crește, desigur, rezultatul dvs. general.

Trading account	$10,000
Risk in percent	1.0%
Hit rate	60%
Risk/reward ratio	1.5
Risk in US Dollar	$100
Trading frequency	100
Total profit	$5,000

Figura 36: Elementele "Matricei de gestionare a banilor" în acțiunea IV. Am crescut rata de succes de la 50% la 60%.

Dacă celelalte elemente rămân neschimbate, îmbunătățirea ratei de succes de la 50% la 60% vă permite să vă dublați rezultatul global. Aceasta înseamnă că, cu 10 tranzacții câștigătoare în plus, vă puteți dubla profitul! Din păcate, acest lucru nu este liniar. Dacă ar trebui apoi să vă creșteți rata de reușită de la 60% la 70%, rezultatul dvs. bazat pe exemplul nostru de calcul va fi de 7.500 de dolari.

O evoluție pozitivă în "Matricea de gestionare a banilor" ne permite să creștem și celelalte elemente. Imaginați-vă că vă creșteți frecvența de tranzacționare cu această rată de succes îmbunătățită! Puteți să vă îmbunătățiți și mai mult rezultatele nu doar prin îmbunătățirea unei componente, ci și a celorlalte componente. Vom examina mai îndeaproape acest aspect la sfârșitul acestui capitol.

În concluzie, putem spune acum că, cu "Money Management Matrix", aveți în mâinile dumneavoastră un instrument puternic cu care vă puteți ridica rezultatele de tranzacționare la un nou nivel, prin modificări specifice ale componentelor individuale!

Faceți procesul de tranzacționare mai profitabil: Cum să-ți optimizezi managementul banilor și să-ți îmbunătățești rezultatele în tranzacționare!

Am văzut din mai multe exemple că vă puteți controla gestionarea banilor exact cu ajutorul celor patru elemente ale matricei. Am dori acum să profităm de ocazia de a aprofunda în continuare planificarea și considerațiile noastre cu scopul de a vă îmbunătăți rezultatele de tranzacționare cu mijloacele date.

În acest sens, ne uităm din nou cu atenție. Ce element trebuie să schimbăm și cum, pentru a obține rezultate mai bune în condiții de piață identice? Cum putem compensa defectele noastre în tranzacționare cu calitățile deținute prin   aprofundarea lor?

Discutarea acestor întrebări este importantă pentru dvs., deoarece, atunci când vă analizați istoricul de tranzacționare, nu numai că veți găsi tranzacții în care se văd calitățile dvs - puncte forte, dar veți descoperi și defecte de tranzacționare pe care este necesar să le îmbunătățiți. .

Să începem cu abilitățile dvs. - punctele forte. Unde putem să ne bazăm pe punctele forte existente și să le folosim la rândul nostru pentru a îmbunătăți rezultatul general?

Imaginați-vă că realizați o rată de succes de 60%. Șase din zece tranzacții sunt încheiate cu profit. Dacă rămânem la parametrii deja cunoscuți, înseamnă că veți obține un profit de 50% din contul dvs. inițial de tranzacționare!

De fapt, ai putea fi destul de fericit cu asta, nu-i așa? Cu toate acestea, haideți să luăm această valoare ca bază a strategiei noastre de optimizare pentru a crește și mai mult rezultatul general.

Pentru a vă permite să efectuați calculele pe baza propriilor rezultate, vom arunca o privire rapidă asupra formulei din spatele calculelor noastre:

$$(TF * HR * RRR * R) - (TF * (1 - HR) * R)$$
$$= Rezultatul\ global\ de\ tranzacționare$$

Unde TF este frecvența de tranzacționare, HR este rata de succes, RRR este raportul risc/recompensă și R este riscul.

Ce valoare putem ajusta acum pentru a crește rezultatele în circumstanțe identice?

În primul rând, frecvența de tranzacționare este cea mai potrivită. Dacă vă imaginați că trebuie pur și simplu să executați mai multe tranzacții - de exemplu, 200 în loc de 100 de tranzacții - pentru a crește profitul total, atunci sună logic la început. Cu toate acestea, va trebui să găsiți de două ori mai multe oportunități de cumpărare (intrare) cu aceeași calitate ca și tranzacțiile dvs. anterioare. În ce măsură acest lucru este, de fapt, fezabil este discutabil. Cu toate acestea, aceasta este o oportunitate pentru dumneavoastră.

Trading account	$10,000
Risk in percent	1.0%
Hit rate	60%
Risk/reward ratio	1.5
Risk in US Dollar	$100
Trading frequency	100
Total profit	$5,000

Trading account	$10,000
Risk in percent	2.0%
Hit rate	60%
Risk/reward ratio	1.5
Risk in US Dollar	$200
Trading frequency	100
Total profit	$10,000

Figura 37 și 38: Rata de succes de 60% generează deja un profit total de 50%. Prin creșterea riscului la 2%, rezultatul poate fi dublat.

O altă posibilitate este de a creşte riscul individual pe tranzacţie. Da, aţi citit bine! Dacă puteţi obţine o rată de succes clar pozitivă, vă puteţi creşte riscul. Bineînţeles, nu nelimitat, dar cu un simţ al proporţiei. Aşadar, puteţi creşte cu siguranţă riscul de la 1% la 1,5% sau chiar 2%. Acest lucru vă va creşte riscul global şi va trebui să întocmiţi un nou plan de acţiune în care să trasaţi o linie în condiţiile ajustate. În consecinţă, însă, implementaţi acelaşi număr de tranzacţii, planificaţi şi realizaţi un raport risc/recompensă neschimbat şi vă creşteţi rezultatul global cu 50% sau chiar 100%.

Bineînţeles, trebuie să urmăriţi îndeaproape evoluţia strategiei dumneavoastră şi este posibil să fie nevoie să modificaţi din nou parametrii dacă rezultatele se abat semnificativ de la planificarea dumneavoastră. Cu toate acestea, în condiţiile menţionate mai sus, vă puteţi îmbunătăţi semnificativ rezultatul global în acest mod.

Desigur, nu este uşor să atingi o rată de succes de 60%. Mai ales la începutul carierei de tranzacţionare, este dificil să atingi o rată de succes care să promită un rezultat global pozitiv. Să luăm ca exemplu o rată de succes de 30%, care în cazul nostru conduce la un rezultat global negativ. Obiectivul nostru acum este de a obţine un rezultat global pozitiv în aceste condiţii. **Trebuie să existe un break-even aici!**??? Cum putem obţine acest lucru?

Prima consecinţă imediată a acestui lucru este deja clară. Jos cu riscul pe tranzacţie!

Pe lângă reducerea riscului, există şi o reducere a raportului risc/recompensă!

Cititorul vigilent a recunoscut deja acest lucru. Prin simpla ajustare în jos a raportului risc/recompensă planificat, rezultatul global va fi mai rău în termeni pur matematici, în condiţii neschimbate. Acest lucru este adevărat şi rămâne adevărat. Dar prin scăderea raportului risc/recompensă şi, prin urmare, a obiectivului de profit, creştem probabilitatea ca tranzacţiile încheiate să se transforme în profitabile/câştigătoare - ceea ce, la rândul său, creşte rata de succes.

Trading account	$10,000
Risk in percent	1.0%
Hit rate	30%
Risk/reward ratio	1.5
Risk in US Dollar	$100
Trading frequency	100
Total profit	-$2,500

Trading account	$10,000
Risk in percent	0.5%
Hit rate	46%
Risk/reward ratio	1.2
Risk in US Dollar	$50
Trading frequency	100
Total profit	$60

Figura 39 și 40: Modificările raportului risc/recompensă cresc probabilitatea de reușită și, prin urmare, cresc rata de reușită. În același timp, riscul este redus. Prin urmare, rezultatul general se îmbunătățește.

În exemplul nostru, reducem riscul pe tranzacție la jumătate, până la 0,5% din contul de tranzacționare și reducem raportul risc/recompensă planificat la 1,2. Pentru a intra în zona profitabilă (verde), avem nevoie de o rată de reușită de puțin sub 46%. Raportul risc/recompensă mai mic înseamnă că această posibilitate există, deoarece probabilitatea de câștig crește.

Pentru a trece de la zona neprofitabilă (roșie) la cea profitabilă (verde), acestea pot fi posibilele măsuri pe care le putem lua în mod concret pe partea de gestionare a riscurilor și a banilor. În plus, bineînțeles, este indicat să investigăm și motivele strategiei de tranzacționare, metodologia de analiză și abordarea personală a tranzacționării.

Să luăm în considerare un alt aspect. Să presupunem că analiza dvs. arată că raportul risc/recompensă global realizat este de 1,2. Doriți să vă îmbunătățiți rezultatul global. Ce componente puteți îmbunătăți în acest sens?

În acest moment, putem spune deja că, în aceste condiții, rata de succes trebuie să fie de peste 45% pentru a fi profitabilă. Este probabil să fie peste acest nivel deoarece veți lua câștigurile mai repede și obiectivul de atins va fi mai aproape de punctul de intrare.

De dragul simplității, să spunem că obțineți o rată de succes de 50%, atunci veți genera un profit de 10% în contul dvs. de tranzacționare în circumstanțele de mai sus. Acest lucru este mai mult decât respectabil și depășește cu mult rezultatele multor investitori profesioniști. Pentru a vă crește și mai mult profitul, ați putea, desigur, să vă creșteți riscul, deși o abordare moderată este preferabilă în această combinație.

Trading account	$10,000
Risk in percent	1.0%
Hit rate	50%
Risk/reward ratio	1.2
Risk in US Dollar	$100
Trading frequency	100
Total profit	$1,000

Trading account	$10,000
Risk in percent	1.5%
Hit rate	50%
Risk/reward ratio	1.2
Risk in US Dollar	$150
Trading frequency	150
Total profit	$2,250

Figura 41 și 42: Un raport risc/recompensă scăzut poate fi compensat prin creșterea frecvenței de tranzacționare și o creștere moderată a riscului.

O altă posibilitate este creșterea numărului de tranzacții. Acum am discutat deja acest subiect critic mai sus, dar există încă o posibilitate de a vă îmbunătăți rezultatele. În acest caz, o cale de mijloc poate fi o ușoară creștere a riscului la, de exemplu, 1,5% și o creștere a frecvenței de tranzacționare. De exemplu, o creștere de 50 de tranzacții mai mult executate. Ca urmare, v-ați mai mult decât dublat profiturile. O măsură mică care are un efect mare.

Putem să rămânem la punctul nostru de vedere cu privire la risc și la frecvența de tranzacționare și să ne gândim la modul în care putem optimiza rezultatul nostru global dacă intrăm pe piață cu un risc mic. Nu avem nevoie de un tabel în acest sens pentru a putea spune, ca regulă generală, că, cu un risc mic pe poziție, avem, de asemenea, posibilitatea de a tranzacționa mai des și mai agresiv. Cu alte cuvinte, atâta timp cât raportul risc/recompensă realizat rămâne cel puțin 1. Dacă acesta scade sub acest nivel, va trebui oricum să ne regândim strategia.

Să trecem la ultimul exemplu din reflecțiile noastre. Imaginați-vă că ați dezvoltat o strategie care vă oferă un raport risc/recompensă realizat de 2,5 la sfârșitul unui an de tranzacționare. Cu siguranță că puteți aprecia acest rezultat conform exemplelor noastre anterioare. Ceilalți parametri ai dumneavoastră rămân neschimbate. Ce altceva puteți schimba pentru a îmbunătăți rezultatul general?

Haideți să analizăm împreună "Matricea de gestionare a banilor": Frecvența tranzacțiilor? Da, este posibil. Cu toate acestea, există limite naturale ale stilului dumneavoastră de tranzacționare. Dacă sunteți un trader de poziție, atunci nu puteți executa câteva sute de tranzacții deodată pe an. Dar o creștere de poate 10% este posibilă. Pentru a face acest lucru, s-ar putea să trebuiască să vă deplasați pe noi piețe sau acțiuni pe care le încorporați suplimentar în analiza dumneavoastră.

Cum rămâne cu rata de reușită? În ce măsură mai poate fi întors acesta? Din cauza raportului șansă-risc ridicat pe care l-ați realizat, rata de succes nu va depăși în mod inevitabil un anumit interval. Poate că mai puteți obține câteva puncte procentuale prin intermediul unei analize precise, dar creșteri mari nu vor fi, cel mai probabil, posibile.

Rata de succes și frecvența de tranzacționare își vor găsi în cele din urmă limitele naturale. În special frecvența de tranzacționare nu poate fi crescută la infinit, deoarece din momentul în care intrați în fiecare tranzacție care vă vine la îndemână, acest lucru va avea un efect imediat asupra ratei de succes. Rata dvs. de succes va scădea apoi din nou. Frecvența dvs. de tranzacționare este determinată în cele din urmă de oportunitățile specifice de care depinde în cele din urmă rata dvs. de succes.

Trading account	$10,000
Risk in percent	1.0%
Hit rate	50%
Risk/reward ratio	2.5
Risk in US Dollar	$100
Trading frequency	100
Total profit	$7,500

Trading account	$10,000
Risk in percent	2.5%
Hit rate	55%
Risk/reward ratio	2.5
Risk in US Dollar	$250
Trading frequency	110
Total profit	$25,438

Figura 43 și 44: Un raport risc/recompensă realizat
ridicat permite un risc mai mare.

Așadar, mai rămâne riscul. Cu o rată de reușită de 50% - așa cum se presupune în general - și un raport risc/recompensă realizat de 2,5, nu există nicio problemă pentru o acțiune mai agresivă din perspectiva creșterii prețului. În acest caz, vă puteți crește riscul, deoarece veți primi în mod regulat un multiplu al acestuia înapoi.

În cele din urmă, creșterea riscului este, de asemenea, singurul parametru pe care îl puteți determina în mod liber, complet și independent. Păstrați întotdeauna un simț al proporțiilor aici, deoarece fiecare "raliu" al pieței are un sfârșit, dar, din fericire, la fel și fiecare piață.

Putem încheia considerațiile noastre asupra "Matricei de gestionare a banilor", dar nu fără câteva cuvinte de încheiere. Trebuie să cunoașteți "Matricea de gestionare a banilor" ca pe un instrument valoros care vă ajută să vă optimizați rezultatele de tranzacționare. Ați ajuns să cunoașteți componentele individuale și "șuruburile de reglare" și am lucrat împreună la mai multe scenarii pentru a vedea cum ați putea să vă îmbunătățiți rezultatele în diferite situații cu ajutorul parametrilor individuali. Acesta este un management activ al banilor la cel mai înalt nivel. Acest lucru vă oferă posibilitatea de a vă adapta tranzacționarea la propria situație și de a vă utiliza capitalul de tranzacționare în mod eficient și profitabil. "Matricea de gestionare a banilor" nu este o abordare științifică, ci o sursă de inspirație pentru propriile dumneavoastră considerații. Ideea matricei este de a vă arăta opțiuni pentru a ține cont de cerințele dumneavoastră personale atunci când vă planificați și implementați tranzacțiile. Prin urmare, este esențial să efectuați o analiză suplimentară și să vă dezvoltați propriile idei cu privire la modul în care "Matricea de gestionare a banilor" personală ar trebui să fie concepută pentru a funcționa pentru dumneavoastră. Ați ajuns deja să cunoașteți primele abordări. Mingea este în terenul dumneavoastră.

În cele din urmă, dorim să trecem la partea practică , unde cei trei investitori așteaptă deja să își prezinte gândurile și rezultatele. După cum v-am obișnuit , Rick începe:

Nu credeam că am nevoie de atât de multă planificare pentru contul meu de tranzacționare. Totuși, la o analiză mai atentă, acest lucru are sens pentru mine. Eu sunt mai degrabă un tip spontan. Așadar, este important să am un plan pe care pot și trebuie să îl respect. Am făcut deja acest lucru în detaliu, dar, în general, este încă nevoie de acțiune. Mai ales când mă gândesc la înregistrarea regulată a tranzacțiilor mele. În calitate de day trader, există deja câteva tranzacții pe săptămână și pe lună. În total, am deschis și am închis aproape 1.000 de tranzacții anul trecut. Mi-am făcut timp să îmi listez tranzacțiile și să creez o statistică precisă. În general, am câștigat deja multă experiență în tranzacționare. Iată statisticile mele:

Trading account	$5,000
Risk in percent	1.0%
Hit rate	44%
Risk/reward ratio	1.3
Risk in US Dollar	$50
Trading frequency	982
Total profit	$589

Figura 45: Statisticile de tranzacționare ale lui Rick după un an și 982 de tranzacții executate.

Încă nu am ajuns atât de departe. Deși instinctele mele se înșeală aici, în termeni procentuali, am făcut un profit de peste 11%. Aș putea la fel de bine să fiu mândru de asta. Cu toate acestea, mi-am ratat cu mult obiectivul general. Bănuiam deja că nu voi ajunge atât de departe cu suma mea de risc, dar îmi promisesem ceva mai mult. Cu toate acestea, când mă uit la rezultate, pot de fapt să mă îmbunătățesc destul de mult. Prin urmare, doar riscul de poziție nu este singurul factor.

Am observat că raportul risc/recompensă realizat este mai mic decât cel planificat. Îmi stabilisem un raport risc/recompensă realizat de 1,5 și am obținut doar 1,3. Recunosc că am ieșit prea devreme - manual, la una sau alta dintre tranzacții - dar nu m-am gândit niciodată că va avea asemenea efecte!

Încă mai trebuie să lucrez la rata mea de reușită. Aici vreau să mă apropii de 50%! Deși sunt deja pozitiv cu rezultatul meu de 44%, trebuie pur și simplu să utilizez mai des cu un raport risc/recompensă scăzut. Un lucru este sigur: trebuie să îmi reconsider rezultatul planificat de 500 de dolari pe lună sau să măresc componentele individuale ale "Matricei de gestionare a banilor". De preferință ambele.

Vestea bună este că acum încep cu un cont [14] *mai mare cu peste 11%, deoarece profitul va rămâne în contul meu de tranzacționare deocamdată. Pe viitor, îmi voi ajusta, de asemenea, calculele pentru dimensiunea poziției în fiecare lună, astfel încât să pot include corect dimensiunea contului de atunci. Procedând astfel, pot lua un risc suplimentar aici.*

Pentru a-mi atinge obiectivul, am elaborat următorul plan. Împreună cu acesta îmi voi aprofunda în continuare cunoștințele în domeniul analizei tehnice.

Trading account	$5,589
Risk in percent	1.0%
Hit rate	48%
Risk/reward ratio	1.3
Risk in US Dollar	$56
Trading frequency	1,000
Total profit	$5,813

Figura 46: Noul plan al lui Rick în conformitate cu componentele realizate de acesta din "Matricea de gestionare a banilor".

---

[14]   Nu includem în exemplele noastre impozitele individuale, deoarece acestea diferă de la o țară la alta. Vă sfătuim să efectuați calculele în funcție de impozitele dumneavoastră curente.

Îmi imaginez că îmi pot adapta așteptările la raportul risc/recompensă. Sunt pur și simplu nerăbdător și, mai ales în tranzacționarea pe piața valutară, prețul perechilor valutare pot să meargă înainte și înapoi destul de mult. Acesta este motivul pentru care 1,3 este acum oficial ținta mea. De asemenea, rămân la frecvența de tranzacționare de 1.000 de tranzacții, deoarece a funcționat destul de bine și în trecut. Am șapte perechi valutare sub observație, ceea ce înseamnă că mă pot aștepta să fac în jur de 140 de tranzacții pe perechea valutară pe an. Acest lucru poate fi realizat.

Prin corectarea în jos a raportului risc/recompensă planificat, cresc probabilitatea de a crește rata de succes. Îmi imaginez că, în prima etapă, acest lucru mă va aduce aproape de 48%. Datorită cunoștințelor mele îmbunătățite în materie de analiză tehnică, voi putea, de asemenea, să produc analize mai bune. Dacă pot pune în aplicare acest lucru în acest mod, atunci îmi voi atinge și obiectivul planificat. Sunt foarte entuziasmat de acest lucru!

Rick își planificase un obiectiv foarte ambițios de 120% profit. A ajuns la puțin peste 11%, ceea ce este deja foarte respectabil. În plus, la Rick este de asemenea clar că rata de succes nu trebuie să fie de 50% pentru a tranzacționa profitabil. Raportul risc/recompensă realizat de 1,3 este, de asemenea, sub valoarea sa țintă, dar, în combinație cu rata de succes, se află în zona verde. Este important de reținut că, cu această combinație, el se "mișcă pe muchie de cuțit". Dacă rata de reușită scade sub 44%, Rick riscă să alunece spre o pierdere totală a sumei disponibile. Prin urmare, abordarea sa de a crește rata de succes în viitor este măsura corectă. Ideea sa de a reduce raportul risc/recompensă planificat la 1,3 are, de asemenea, sens pentru el. Mai ales dacă acționează agresiv și este mai degrabă nerăbdător, cu greu va putea obține mai mult. În același timp, el poate crește probabilitatea câștigurilor sale. Putem vedea deja în calcul că Rick se apropie de obiectivul său în acest mod. În cazul pozitiv, el va ajunge chiar peste acesta, deoarece își ajustează lunar calculele privind mărimea poziției sale la mărimea contului curent.

Ca o concluzie, putem afirma că chiar și o mică schimbare în rata de succes, și anume de la 44% la 48%, are un efect imens asupra rezultatelor generale. Din acest motiv, acordați întotdeauna atenție calității pozițiilor care urmează să fie deschise! În plus, este remarcabil cum chiar și o poziție mică, cu un risc mic, poate obține un rezultat mare pe durata frecvenței de tranzacționare.

Înainte de a trece la Anna, un cuvânt despre rezultatul general al lui Rick. Deși a avut deja o performanță excelentă, cu un profit total de 11%, el este nemulțumit de rezultatul absolut obținut. Pe de o parte, acest lucru este de înțeles, deoarece, după toată munca depusă, s-ar fi așteptat la mai mult. Pe de altă parte, un cont de tranzacționare precum cel al lui Rick își atinge rapid limitele. Acest lucru nu înseamnă că tranzacționarea profesională nu funcționează în aceste condiții. Dimpotrivă, funcționează. Aceasta înseamnă că rezultatele absolute obținute trebuie întotdeauna puse în raport cu punctul de plecare. Imaginați-vă dacă Rick ar fi deschis un cont cu un capital de tranzacționare de 500.000 de dolari în loc de un cont cu 5.000 de dolari. Cu același procent de profit de aproximativ 11%, rezultatul absolut ar fi semnificativ diferit. Din acest motiv, nu vă lăsați indus în eroare de rezultate percepute ca fiind mici. Întotdeauna rezultatele procentuale sunt cele care contează pentru analiză. Păstrați întotdeauna un simț al proporțiilor și aici!

Care sunt experiențele Annei ? Ce rezultate ne poate prezenta ea?

Deoarece tranzacția cu Apple mi-a luat deja câteva luni și este încă în desfășurare, în mod natural nu am putut efectua atâtea tranzacții ca Rick. Cu toate acestea, celelalte tranzacții au ajuns rapid la ținta de profit sau stop loss, așa că și asta a făcut diferența. Îmi stabilisem ca limită un risc total de 2.500 de dolari. Pentru mine, acest lucru înseamnă nu numai că pot face față cu profesionalism unei serii de pierderi, ci și că pot executa mai multe tranzacții în paralel. Strict vorbind, îmi pot plasa riscul total pe piață deodată, deținând zece poziții cu un procent de risc fiecare. Cu toate acestea, dacă toate cele zece poziții se termină cu o pierdere deodată, am terminat deja tranzacționarea. Prin urmare, am ales o cale de mijloc și mi-am stabilit un maxim de cinci titluri individuale pe care să le dețin în portofoliu în același timp. Acest lucru îmi oferă spațiu de manevră în cazul în care toate cele cinci se termină cu pierderi. Am variat întotdeauna riscul care trebuie asumat pentru fiecare tranzacție între 1% și 1,5%, după caz. De asemenea, nu mi-am atins întotdeauna raportul risc/recompensă țintă de 2,5. Acest lucru se datorează în principal faptului că nu am văzut probabilitatea de a atinge acest lucru în unele poziții. În schimb, au existat multe tranzacții în care am considerat că era foarte probabil să ating 1,5 și 2,0. Așadar, mă aflu undeva între 1,5 și 2,5 ori mai mare decât raportul risc/recompensă în tranzacțiile simple. Per total, acest lucru îmi oferă un 1,8 mulțumitor în ceea ce privește raportul risc/recompensă realizat. Riscul meu individual, așa cum am spus, a fost între 1% și 1,5% din contul meu de tranzacționare. În total, am un risc individual mediu de 1,24%. În general, pot să mă uit în urmă la 26 de tranzacții pe care le-am deschis și închis anul trecut. Rata mea de succes a fost foarte bună. Am obținut un procent de reușită de 58% în portofoliu. Rezultatul meu global este peste cifra țintă, ceea ce îmi confirmă strategia mea .

Trading account	$25,000
Risk in percent	1.24%
Hit rate	58%
Risk/reward ratio	1.8
Risk in US Dollar	$310
Trading frequency	26
Total profit	$5,029

Trading account	$30,029
Risk in percent	1.30%
Hit rate	60%
Risk/reward ratio	2.0
Risk in US Dollar	$390
Trading frequency	30
Total profit	$9,369

Figurile 47 și 48: Rezultatul obținut de Anna după 26 de tranzacții într-un an și optimizarea bazată pe acesta.

Nu văd nicio nevoie reală de optimizare în acest moment, așa că mă uit la "Matricea de gestionare a banilor" pentru oportunități de creștere de bază. Cred că voi păstra toți parametrii la fel, dar voi vedea dacă pot face câteva tranzacții în plus și voi crește puțin și riscul mediu al poziției mele. Pentru mine, acest lucru înseamnă că iau adesea 1,5% din contul meu de tranzacționare ca risc de poziție. În plus, intenționez să-mi cresc din nou puțin țintele de profit, astfel încât să ajung la un raport risc/recompensă realizat de 2,0 în general. Sunt ambițioasă în ceea ce privește rata de reușită și îmi voi folosi toate abilitățile pentru a determina ca 60% din tranzacțiile mele spre profit. Aceste măsuri, împreună cu contul meu de tranzacționare în creștere, mă vor duce mult mai departe. Apropo, pot ajusta baza de calcul după fiecare tranzacție, astfel încât să pot câștiga câteva puncte procentuale în plus.

Abordarea Annei a fost o aterizare la fața locului. Ea a intrat pe piață cu mai mult risc acolo unde a văzut oportunități și a adoptat o poziție defensivă acolo unde oportunitățile nu erau atât de evidente. Ca urmare, ea și-a atins obiectivul și a generat un profit bun de 20, asta cu un simț al proporției în ceea ce privește riscul individual și general. Bineînțeles, piața trebuie să îi "joace jocul", dar dacă nu o face, rata de reușită coboară rapid înapoi în intervalul de mijloc. Cu toate acestea, când merge, merge, iar Anna s-a adaptat exact la ea. Ajustarea raportului risc/recompensă dorit de ea la condițiile de piață a jucat, cu siguranță, de asemenea, un rol în succesul ei.

Pentru voi, acest lucru înseamnă din nou să păstrați un simț al proporțiilor și să vă gândiți la ceea ce vă doriți și la ceea ce este posibil. Acest lucru trebuie pur și simplu subliniat din nou în acest moment!

Ca de obicei, îl întrebăm pe Peter cum s-a descurcat cu tranzacțiile sale și ce rezultate a obținut.

Am efectuat o serie de tranzacții. . Vă prezentasem deja o tranzacție și, de fapt, am avut o serie întreagă de operațiuni profitabile i după aceea, ceea ce mi-a întărit increderea în mine. Am crezut că mi-am atins obiectivul general, dar, din păcate, din acel moment a început o serie de operațiuni finalizate cu pierderi. Acest lucru se reflectă și în rata de succes de 39%. Acest lucru este enervant, bineînțeles, dar concluzia este că, până la urmă, am obținut un profit. Am avut o mulțime de "suișuri și coborâșur" în contul meu în acel an și am avut îndoieli de mai multe ori. Dacă continui să faci pierderi, nu mai este distractiv. Dar, în cele din urmă, mi-am revenit. Raportul risc/recompensă realizat, de 1,67, m-a ajutat să supraviețuiesc acestei perioade mai slabe . Deși îmi luasem hotărârea fermă de a nu-mi perturba tranzacțiile, nu m-am putut abține și am închis multe tranzacții manual - fie pentru că am vrut să "înghet" câștigul, fie să evit pierderea. Acest lucru explică, de asemenea, de ce mi-am ratat obiectivul cu un raport risc/recompensă realizat de 2,0. Cu toate acestea. Am rămas cu ea, deoarece, cu riscul meu gestionabil, am reușit întotdeauna să mă entuziasmez cu privire la o nouă tranzacție chiar și după o serie de pierderi. Și cred că asta este ceea ce contează: Să te ții de tranzacționarea capitalului și să continui! În total, am făcut optzeci și șapte de tranzacții și, la final, am putut privi înapoi la un profit de puțin peste 400 de dolari. De acum încolo nu poate decât să crească contul de tranzacționare!

Trading account	$15,404
Risk in percent	0.75%
Hit rate	45%
Risk/reward ratio	2.00
Risk in US Dollar	$116
Trading frequency	60
Total profit	$2,426

Figura 49 și 50: Rezultatele lui Peter după un an de suișuri și coborâșuri. Deși a obținut o rată de succes de numai 39%, a reușit să încheie anul de tranzacționare într-o notă pozitivă datorită raportului risc/recompensă realizat de 1,67. Pentru optimizare, Peter a pus un accent deosebit pe raportul risc/recompensă și pe rata de succes.

Pentru anul viitor, mi-am configurat "Matricea de gestionare a banilor" în așa fel încât, desigur, voi continua să îmi asum riscurile pe care sunt pregătit să mi le asum. Asta m-a ajutat cu siguranță în interior! Vreau să lucrez din greu la raportul meu de succes. Să trec de la 39% la 45% este o creștere foarte mare, dar mă voi antrena și mai mult la metodele de analiză și, mai presus de toate, voi acorda mai multă atenție calității tranzacțiilor mele. Acest lucru se reflectă apoi și în reducerea frecvenței de tranzacționare. Prefer să sar peste o tranzacție de care nu sunt atât de convins și să mă concentrez pe deplin asupra tranzacțiilor promițătoare cu o probabilitate mare de câștig. Acesta este modul în care îmi imaginez atingerea unui raport risc/recompensă de 2,0, așa cum am planificat. Desigur, acest lucru presupune să mă controlez în timpul tranzacției și să las tranzacția să evolueze prin prisma prețului . Procedând astfel, voi ajunge până la urmă la obiectivul meu!

Peter a învățat două dintre cele mai importante reguli în tranzacționare. Nici o serie de victorii nu durează la nesfârșit și numai cei care continuă pot ajunge mai departe. Tocmai din acest motiv este important să vă stabiliți riscul poziției în funcție de propriile cerințe. Numerele rigide nu vă vor ajuta în acest sens; depinde de dumneavoastră. Luați suma la care sunteți dispus să continuați în timpul și după o serie de pierderi. Aceasta este singura modalitate de a ieși din seria de pierderi. Continuați cu un simț al proporțiilor și al strategiei, dar continuați. Rămâneți pe fază, căutați-vă oportunitățile și apoi deschideți noua poziție așa cum ați planificat. Peter a atins, de asemenea, exact același punct pe care l-am discutat deja. Și-a perturbat tranzacțiile și este bine că acum intenționează să nu mai facă exact acest lucru. Ceea ce este interesant la rezultatele lui Peter este că, în ciuda unei rate de succes relativ scăzute, el obține un rezultat pozitiv, care, la rândul său, se datorează raportului risc/recompensă realizat. Așadar, atunci când spune că exact acest lucru vrea să crească în viitor, atunci acesta este impulsul corect. Peter rezolvă dilema dintre o rată de succes ridicată și un raport risc/recompensă mai mare prin încercarea de a îmbunătăți calitatea tranzacțiilor sale. El vrea să acționeze mai puțin în consecință. Rămâne de văzut, bineînțeles, dacă acest lucru va reuși. Cu toate acestea, este întotdeauna o idee bună să fii selectiv și critic în alegerea pozițiilor.

Un scurt rezumat al celor mai importante fapte:

> Rata de succes și frecvența de tranzacționare sunt elemente importante ale gestionării profesioniste a banilor și completează considerațiile privind gestionarea riscurilor.

> Rata de succes și frecvența de tranzacționare nu sunt singure relevante. Numai în combinație cu alte elemente pot fi analizate în mod semnificativ.

> Riscul, raportul risc/recompensă, rata de succes și frecvența de tranzacționare pot fi combinate pentru a forma "Matricea de gestionare a banilor".

> "Matricea de gestionare a banilor" indică faptul că cele patru elemente sunt direct și indirect dependente unele de altele.

> "Punctele slabe" ale unei variabile pot fi compensate de "punctele forte" ale celeilalte variabile.

> Cu cât raportul risc/recompensă realizat este mai mare, cu atât rata de succes va fi mai mică și viceversa.

> O frecvență de tranzacționare ridicată poate compensa un raport risc/recompensă realizat scăzut.

> Cu o rată de succes ridicată, riscul poate fi crescut, atâta timp cât raportul risc/recompensă realizat este mai mare de 1.

> Un raport risc/recompensă realizat de 1,5 este un bun punct de plecare și asigură profitul general, chiar dacă rata de succes este sub 50%.

CAPITOLUL 6:
Gestionarea riscurilor și a banilor 2.0

Până în acest moment, am abordat în mod intensiv toate aspectele relevante ale gestionării riscurilor și a banilor. Sunteți acum un profesionist în gestionarea riscurilor și a banilor și sunteți cu mult înaintea maselor de investitori de pe piață. Cu toate acestea, mai este încă loc de îmbunătățiri. Deși punctele prezentate până acum sunt perfect suficiente pentru a face ca tranzacționarea să fie profitabilă pe termen lung, acest lucru nu înseamnă că nu am putea obține rezultate și mai bune .

În acest moment, am dori să extindem gestionarea banilor pentru a include "gestionarea tranzacțiilor" și să discutăm diverse modalități prin care vă puteți îmbunătăți rezultatele, menținând în același timp neschimbat riscul pe poziția de tranzacție .

Vom aborda subiectul stop loss, variația intrărilor și ieșirilor, precum și intrarea și ieșirea pas cu pas din poziții. Pe lângă optimizarea "Matricei de gestionare a banilor", aceste strategii ar trebui să ne ajute să obținem cele mai bune rezultate posibile cu tranzacțiile noastre.

Dar, de asemenea, investitorii care nu doresc să își vândă pozițiile, dar în același timp nu doresc să accepte un risc disproporționat în cazul unei pierderi, vor găsi în acest capitol o metodă interesantă de limitare a pierderilor.

Vă limitați sau lăsați profiturile să ruleze ? Ce efecte are un trailing stop asupra gestionării riscurilor și a banilor?

În cursul discuției privind limitarea pierderilor în gestionarea riscurilor, am abordat deja problema stop loss. Cu ajutorul stop loss am marcat prețul în care probabilitatea strategiei noastre nu mai funcționează. În acest punct, nu mai are sens să rămânem pe poziție și să speculăm pe un rezultat pozitiv - stop loss ne limitează automat pierderile prin faptul că este realizat direct.

În considerațiile noastre am presupus întotdeauna că stop loss este plasat pe piață și rămâne acolo neschimbat până când este declanșat sau dizolvat deoarece tranzacția a atins ținta de profit. "Ori una, ori alta" era premisa. Acum vom schimba acest lucru. În timp ce până acum am privit stop loss exclusiv din perspectiva gestionării riscurilor, acum ne extindem viziunea la gestionarea profesionistă a tranzacțiilor. O parte importantă a managementului profesionist al tranzacțiilor este de a lua o decizie dacă și în ce măsură stop loss este ajustat în timpul unei tranzacții.

În acest stadiu, ar trebui să avem deja o idee în ceea ce privește sensul și scopul unui stop loss urmărit. Bineînțeles, mutăm stop loss exclusiv pentru a ne asigura profiturile acumulate. Nu mutăm stop loss pentru a crește pierderile posibile. Prin urmare, nu poate exista decât o singură direcție în care este mutat sau împins stop loss-ul: spre profit. În acest fel, stop loss inițial devine stop de urmărire a câtigului.

Vă puteți imagina cu ușurință că există nenumărate abordări pentru a utiliza un stop de urmărire. Abordările sunt la fel de numeroase pe cât de numeroși sunt investitorii de pe piețe.

Acum dorim să ne ocupăm de trailing stop în general. În ce măsură are sens să urmărim stop loss? Deja, în acest moment, părerile dintre trader diferă. În timp ce unii dintre ei încep să mute stop loss ul după primele creșteri de preț , alții lasă stop loss neschimbat până când sunt aproape de ținta de profit . Alții nu fac nimic din toate acestea.

Ei îşi lasă stop loss neschimbat până când tranzacţia se închide fie în profit, fie în pierdere. Dacă îi chestionaţi pe toţi trei cu privire la cine procedează corect, fiecare dintre ei va susţine că are dreptate.

Doar acest lucru vă arată că trailing stop nu este un subiect pur matematic, ci mai degrabă unul emoţional. Este vorba, de asemenea, de gestionarea pierderilor şi de responsabilitatea pentru propriile decizii. Acest lucru este adesea demonstrat de faptul că traderii deplasează trailing stop-ul atât de aproape de preţul curent încât sunt deja aruncaţi din tranzacţie chiar în momentul următor. În retrospectivă, este apoi uşor de spus: "Am vrut să renunţ la tranzacţie, dar preţul a intrat în trailing stop-ul meu şi astfel a trebuit să închid poziţia. " În acest fel, decizia privind modul în care trebuie să se procedeze este externalizată în mod convenabil către piaţă. În consecinţă, acest lucru înseamnă că traderii se sustrag propriei responsabilităţi în ceea ce priveşte tranzacţia şi, în acelaşi timp, evită deciziile coerente. Este evident că acest lucru nu face parte din tranzacţionarea profesională şi din planificarea concretă a succesului. În consecinţă, se recomandă deja în acest moment să se utilizeze un trailing stop cu simţul proporţiilor. Protecţia profitului şi limitarea pierderilor: Da! Externalizarea deciziilor: Nu.

Având în vedere acest lucru, să analizăm două tehnici specifice de utilizare a trailing stop-ului.

Prima metodă se referă din nou la analiza graficului. La fel cum folosim analiza tehnică pentru a ne defini stop loss-ul pentru limitarea pierderilor atunci când planificăm o tranzacţie, căutăm, de asemenea, preţurile corespunzătoare din grafic pentru trailing stop care îndeplinesc aceleaşi criterii. Şi aici trebuie să ne punem întrebarea în ce punct (preţ) al graficului nu mai este dată probabilitatea ca tranzacţia să se încheie cu profit.

Aceste puncte sunt, în mod regulat, punctele minime corespunzătoare unei mişcări ascendente şi punctele maxime corespunzătoare unei mişcări descendente.

Să ilustrăm acest lucru cu o imagine grafică:

Figura 51: EUR/USD, grafic pe 4 ore (o lumânare = 4 ore). După un raliu abrupt, perechea construiește un vârf și o rezistență puternică și formează un interval de tranzacționare între 1,11798 și 1,10701 dolari. După ultima revenire a rezistenței, se deschide o tranzacție scurtă pentru a profita de pe urma unei euro în scădere. După deschiderea poziției, prețul scade dinamic până la suportul intervalului și mai departe până la următorul suport 1,09936 dolari. Stop loss este urmărit pe parcursul tranzacției de la un maxim inferior la altul. Tranzacția este închisă parțial atunci când sunt atinse țintele 1 și 2. Ultima treime este închisă atunci când este atins stop-ul de urmărire de la punctul 6. Sursa: www.tradingview.com

Vedem perechea valutară EUR/USD în graficul pe 4 ore. După un raliu până la 1,11830 dolari, perechea a construit o rezistență în acea zonă, care a fost testată de mai multe ori. Odată cu prima corecție a fostului raliu, a fost construit un suport care a fost apoi testat de două ori. După ce perechea valutară nu a reușit să spargă rezistența, ci a construit în schimb un mic Triple TOP , a fost evident că tendința ascendentă a luat sfârșit. Punctul de intrare într-o tranzacție short este spargerea sub minimul din triple-top. Odată ce prețul sparge acest mic suport, poziția ar trebui deschisă. Prețul de intrare în acest moment este de 1,11287 dolari. Am plasat stop loss inițial pentru a limita pierderile deasupra rezistenței de 1,11810 dolari. După cum vedeți, adăugăm câțiva pips în plus pentru siguranța noastră. Riscul nostru inițial la deschiderea poziției este de 51 de pips. Putem găsi prima noastră țintă de profit la minimul intervalului la 1,10701 dolari. De la intrare până la ținta noastră avem un potențial de 58 de pips, ceea ce ne dă un raport risc/recompensă planificat de 1,13. Nu prea mult, dar poate că putem obține cu tranzacția deschisă mai mult. O privire aruncată pe grafic ne arată, de asemenea, că avem șansa pentru încă două ținte de profit, deoarece există un suport la 1,09936 dolari. În acest moment, putem ieși dintr-o altă parte a poziției noastre cu un profit de 135 de pips și prin urmare, un raport risc/recompensă de 2,64. A treia țintă de profit se află la următorul nivel de suport la 1,09437 dolari. Dacă prețul coboară până la acest punct, vom ieși din a treia parte a poziției noastre și vom închide definitiv tranzacția. *Vă rugăm să rețineți că posibilitatea de a atinge prima țintă de profit este semnificativ mai mare decât atingerea celei de-a doua și chiar a celei de-a treia.*

După deschiderea tranzacției, prețul perechii valutare se mișcă dinamic în jos și ne aflăm imediat la prima țintă de profit, ieșind din prima treime a poziției noastre. Așa cum era de așteptat, prețul ricoșează acolo și formează un maxim inferior la punctul 1. Dorim să profităm de această ocazie pentru a ne ajusta stop loss la acest nivel. Dar unde anume?

Primul impuls este sigur că va urma stop loss direct deasupra valorii maxime a prețului din grafic. Și acesta este exact motivul pentru care trailing stop este adesea însoțit de rezultate nesatisfăcătoare. Dacă plasăm stop loss-ul prea aproape de preț, creștem probabilitatea ca stop loss-ul să fie declanșat atunci când piața testează din nou nivelul anterior.

Prin urmare, lăsați întotdeauna o anumită marjă de manevră între stop loss și ultimul maxim sau minim absolut. Chiar cu riscul de a lua o poziție mai mică, această procedură vă va salva de la multe tranzacții pierdute. Pur și simplu pentru că piața încă mai are loc să se miște și să respire.

Prin urmare, nu ne plasăm trailing stop-ul direct deasupra maximului marcat la 1,10929 dolari, ci cu 5 pips deasupra acestuia, la 1,10979 dolari. Mai ales pe graficul de 4 ore, 5 pips sunt abia perceptibili. În intervalele de timp mai mici, bineînțeles, lucrurile arată diferit. Acolo, 5 pips pot constitui deja întregul profit al unei tranzacții. În consecință, distanța acolo ar trebui să fie mai mică - 2 pips pot fi suficienți. Dacă doriți să vă asigurați că nu se execute stop-loss ul, atunci adăugați mai mulți pips.

Odată cu trailing stop, situația noastră generală s-a schimbat. Acum nu mai avem un stop de limitare a pierderilor, ci un stop de protecție a profitului! Noul nostru stop loss este deja cu 30 de pips mai mic decât prețul de intrare. O situație foarte confortabilă!

A doua țintă de profit este atinsă printr-o serie de maxime și minime mai mari. Pentru noi, aceasta este o altă bună ocazie de a strânge din nou și din nou stop loss. Nu la 1,10203 dolari la punctul 6, ci la 1,10253 dolari. La urma urmei, vrem să ne asigurăm profiturile! Acest lucru înseamnă că - indiferent de ce se întâmplă - suntem deja 103 pips în profit cu 2/3 din poziția noastră.

În cele din urmă, răbdarea noastră este răsplătită, deoarece a doua țintă de profit este atinsă la 1,09936 dolari; a doua treime a poziției este închisă cu un profit de 135 pips și un raport risc/recompensă de 2,64. Având în vedere speculația unei noi scăderi a prețului, ultima treime rămâne în tranzacție. Dar, așa cum orice mișcare se termină, prețul își revine pe suport și începe un nou trend ascendent, ieșind din ultima treime a tranzacției noastre la punctul 6 cu un profit de 103 pips.

Rezumând, cu această tranzacție, am făcut 98 de pips cu un raport risc/recompensă de 1,9.

Poate vă întrebați de ce am folosit trei obiective de profit în loc de unul singur. Răspunsul este simplu. Este vorba de a risca și de a profita la maximum de o tranzacție. Vom reveni asupra acestui aspect mai târziu.

O concluzie pe care o putem trage este că o tranzacție are întotdeauna nevoie de aer pentru a respira. Prin urmare, nu setați trailing stop-ul prea aproape de preț; în caz contrar, există un risc ridicat de a fi oprit. Și nu prea vreți să fiți dat afară de pe piață. De fapt, doriți să vă atingeți ținta de profit, nu-i așa? Stop loss are rolul de a vă proteja împotriva pierderilor disproporționate pe drum în prima etapă și de a vă păstra profiturile acumulate în a doua etapă. Nu lăsați stop loss să vă arunce din piață! Țineți cont de acest lucru atunci când plasați și urmăriți stop loss-ul.

O altă modalitate de a urmări stop loss este de a utiliza un procent fix sau un număr fix de preț. În multe platforme de tranzacționare, acest lucru poate fi deja setat automat. Stop loss-ul dvs. va fi apoi mutat automat din ce în ce mai departe până când tranzacția fie se încadrează în obiectivul de profit, fie este încheiată de stop loss. Desigur, acest lucru sună foarte confortabil la început. O tranzacție care se gestionează singură. Acest lucru este aproape prea frumos pentru a fi adevărat... .

Este evident că această abordare este adesea suboptimală. Explicația este simplă. Să presupunem că am urmărit stop loss-ul nostru în tranzacția pe termen lung EUR/USD la fiecare 25 de pips. Ce s-ar fi întâmplat?

Să ne uităm și la imaginea graficului:

Figura 52: EUR/USD, grafic pe 4 ore (o lumânare = 4 ore). Stop loss este
urmărit cu 25 de pips peste prețul curent. Sursa: www.tradingview.com

Avem graficul identic cu cel de mai sus. Singurul lucru pe care îl
schimbăm este trailing stop. Presupunând că urmărim stop-ul la
fiecare 25 de pips , mutăm stop loss astfel încât să avem întotdeauna
o distanță de 25 de pips de la prețul curent la stop loss. La scurt timp
după ce am deschis tranzacția, stop-ul este mutat, reducând riscul
poziției și asigurând primele profituri.

Din moment ce avem un impuls mare după intrarea noastră, primul
profit de 25 de pips este atins rapid. Nu contează, asta este ceea ce
am câștigat deja!

Pe măsură ce prețul continuă să scadă în direcția primei noastre ținte,
continuăm să ne asigurăm profiturile. Odată cu sosirea la prima țintă,
ieșim dintr-o treime din tranzacție cu un profit de 58 de pips și un
profit asigurat de 33 de pips datorită stopului nostru de urmărire.
Pe măsură ce prețul scade în continuare după ce am ieșit din prima
treime, a atins un minim la 1,10620 dolari. Cu o distanță de 25 de

pips, trailing stop-ul nostru este acum la 1,10870 dolari, oferindu-ne un profit asigurat de 41 de pips pentru cele două treimi rămase din poziție!

Deoarece fiecare mișcare se termină la un moment dat, mișcarea dinamică descendentă care a adus atât de repede tranzacția noastră în profit și la prima noastră țintă se termină, de asemenea, cu o retragere. Prețul începe să crească și, de la minimul de la 1,10620 dolari, prețul trece peste trailing stop-ul nostru de la 1,10870 dolari și închidem tranzacția noastră cu un câștig realizat de 41 de pips pentru ultimele două treimi.

În total, am făcut un profit de 46 pips cu acest comerț. În comparație cu riscul pe care ni l-am asumat pentru această tranzacție, am realizat un raport risc/recompensă de 0,9.

Cum ar trebui să judecăm acest lucru? Profitul este profit și, prin urmare, este bun. Mai ales că a fost generat și într-o perioadă relativ scurtă de timp. Acest lucru este, de asemenea, corect. Cu toate acestea, aveam un alt obiectiv în minte. Am vrut să obținem nu doar 46 de pips, ci cel puțin 98 de pips. Adică de două ori mai mult! Cu toate acestea, trebuie să recunoaștem, de asemenea, în mod corect, că acești 98 de pips au fost obținuți într-o perioadă de timp mult mai lungă, după cum am văzut deja.

Cu siguranță v-ați dat seama deja că, în acest moment, nu există nicio recomandare de acțiune în proporție de 100%. Dacă sunteți în căutarea unor câștiguri rapide într-un mediu foarte dinamic și impulsiv, atunci vă sfătuim să folosiți cea de-a doua metodă. Reversul medaliei este că sunteți "oprit", în mod regulat, în corecțiile intermediare, iar mișcarea continuă apoi fără dumneavoastră. Tocmai aici este exact punctul în care cele două variante diferă.

Prin urmare, putem afirma că un stop loss strâns - indiferent de motiv - forțează practic o ieșire rapidă din poziție. Veți lua apoi profituri mai regulat, dar acestea vor fi întotdeauna mai mici decât dacă veți continua să vă plasați stopurile într-un mod mai deliberat.

În cele din urmă, starea pieței este, de asemenea, cea care determină dacă un trailing stop este de succes și semnificativ. Într-o tendință puternică, pericolul de a fi oprit nefericit este mai mic decât într-o mișcare laterală. În consecință, un stop suplimentar de asigurare a profitului într-o mișcare laterală are mai mult sens și un stop loss strâns într-o tendință puternică.

Poate că "Matricea de gestionare a banilor" ne vine inevitabil în minte în timpul discuției noastre. De fapt, un trailing stop are efecte concrete asupra planificării succesului nostru conform "Matricei de gestionare a banilor". Care sunt acestea?

Urmărind stop loss, părăsim decizia de tip "ori/sau" și intervenim în tranzacția curentă. Deși planificăm un raport risc/recompensă concret înainte de o tranzacție, reducem șansele de a-l atinge prin ajustarea stop loss. O retragere ne-ar putea scoate cu ușurință din tranzacție.

Există consecințe. Dacă procedăm în acest mod în mod regulat, în retrospectivă, raportul risc/recompensă realizat va fi redus. De exemplu, trecem de la 1,5 la 1,3, ceea ce, în sine, nu înseamnă neapărat nimic, dar trebuie să fim conștienți de acest fapt.

Raportul risc/recompensă realizat este în scădere, deoarece ne luăm profiturile mai devreme. Acest lucru are și o consecință. Profiturile noastre vor fi mai mici, dar tot vor exista. Prin urmare, rata de succes va crește - de la 50% la 55%, de exemplu.

Dacă închidem pozițiile mai repede pentru că suntem pur și simplu opriți mai devreme, atunci avem posibilitatea de a intra în mai multe tranzacții. Acest lucru se datorează exclusiv faptului că, sumele de bani imobilizate anterior sunt acum disponibile din nou pentru noi tranzacții. Acest lucru, la rândul său, are un impact asupra frecvenței noastre de tranzacționare. Aceasta va crește cu condiția ca oportunitățile să fie adecvate. Poate de la 100 de tranzacții pe an la 120 de tranzacții.

Rămâne riscul. Ce înseamnă pentru riscul pe care ni-l asumăm dacă rata de succes crește, frecvența de tranzacționare crește și raportul risc/recompensă se reduce? În primul rând, am stabilit deja că o rată de succes ridicată justifică și un risc mai mare. În principiu, putem pune în aplicare acest lucru și aici. Poate de la 1,0% la 1,25%. Trăgând stop loss în spatele prețului, reducem automat și treptat riscul și, prin urmare, putem justifica o miză mai mare. Pe de altă parte, numărul de tranzacții va crește în mod natural riscul global. Trebuie să acordăm acestui punct importanța cuvenită și să ne analizăm constant rezultatele.

Să ne uităm la un scenariu posibil în funcție de un trailing stop:

Trading account	$10,000
Risk in percent	1.0%
Hit rate	50%
Risk/reward ratio	1.5
Risk in US Dollar	$100
Trading frequency	100
Total profit	$2,500

Trading account	$10,000
Risk in percent	1.25%
Hit rate	55%
Risk/reward ratio	1.3
Risk in US Dollar	$125
Trading frequency	120
Total profit	$3,975

Figura 53 și 54: Comparație între rezultatele din "Money Management Matrix" fără trailing stop și cu trailing stop. Prin gestionarea poziției într-o manieră țintită, rezultatele generale ale tranzacționării pot fi îmbunătățite.

Vedem că și mici modificări ale componentelor individuale ale "Matricei de gestionare a banilor" pot duce la o îmbunătățire semnificativă a profiturilor. Factorul decisiv în acest caz este raportul risc/recompensă realizat. Cu cât se apropie mai mult de 1, cu atât mai mare trebuie să fie rata de succes. În consecință, este important să lăsăm ambele elemente într-o relație sănătoasă. Obținerea de profit da, dar nu la orice preț!

Cu aceasta, putem încheia discuția despre trailing stop și putem concluziona că un trailing stop este un mijloc adecvat pentru a gestiona o tranzacție în mod profesionist. Condiția prealabilă pentru aceasta este ca stop-ul de limitare a pierderilor și de protecție a profitului să nu devină un "stop de încheiere a tranzacției". Pe care dintre variantele prezentate o alegeți este o chestiune de stil și gust personal. De asemenea, este perfect, în regulă, dacă nu interveniți deloc în tranzacțiile dvs.

Să ne uităm la cei trei investitori la sfârșitul subiectului. Cum abordează ei problema stopurilor de urmărire? Rick, ce părere ai despre un trailing stop?

Întotdeauna am fost supărat când am intrat prima dată în profit, doar pentru a vedea cum dispare din nou și, ca urmare, sunt oprit în pierdere. Prin urmare, trailing stop este o bună oportunitate pentru mine de a-mi proteja măcar parțial profiturile. Pentru mine, metoda implicită are, de fapt, sens. Pe viitor, voi urmări întotdeauna stop loss-ul cu zece pips în urma prețului actual. Când mă apropii apoi de zona țintă, voi plasa stop loss mai agresiv în funcție de preț. Mă gândesc la cinci pips. În acest fel mă asigur că nu trebuie să dau înapoi atât de mult din profiturile acumulate.

Evaluarea lui Rick este de înțeles. Cu cât se apropie mai mult de profit, cu atât este mai supărat că trebuie să dea profiturile înapoi. Acest lucru este de înțeles și, de asemenea, se potrivește cu autoevaluarea sa agresivă de a aduce stop loss în zona țintă foarte aproape de preț. Pe de o parte, nu va trebui să dea mulți pips din câștigurile sale în acest fel, dar, pe de altă parte, Rick adesea nu-și va atinge ținta de profit. Acest lucru are un impact corespunzător asupra raportului risc/

recompensă realizat; mai ales că Rick își menține deja raportul risc/ recompensă planificat relativ scăzut, el riscă rapid să își înrăutățească semnificativ rezultatele generale.

Cum își planifică Anna gestionarea tranzacțiilor de poziție?

Cu orizontul meu de timp, un stop de urmărire are sens. Mai ales dacă iau în considerare influențele politice și economice la care o companie și acțiunile sale sunt expuse de-a lungul lunilor, trebuie să îmi asigur profiturile acumulate. Cu toate acestea, pentru mine, trailing stop-ul rămâne totuși un stop care ar fi bine să nu fie declanșat. La urma urmei, vreau să fiu răsplătită pentru răbdarea mea. Mai ales că nu execut atât de multe tranzacții pe an, nu-mi pot permite să-mi perturb pozițiile. Voi proceda în consecință după analiza tehnică pentru a identifica punctele potrivite în care pot plasa trailing stop-ul. Dar, așa cum am spus, pentru mine, acesta este doar un scenariu în cel mai rău caz.

Anna își respectă strategia. Asigurare, da, dar pentru orice eventualitate. În rest, ea lasă tranzacția să se desfășoare nestingherit.

Unde vede Peter abordări pentru un trailing stop în tranzacționarea cu contracte futures?

Cu mine, una e să pierd. Mai ales că anul trecut nu a mers atât de bine și am planificat un raport risc/recompensă ambițios pentru următoarele mele tranzacții. Dar când mă gândesc la rata mea de reușită, există cu siguranță loc de îmbunătățire. Cu un trailing stop, pot avea o influență directă asupra ratei de reușită. Cu toate acestea, nu cred că atunci pot realiza în continuare un raport risc/recompensă de 2,0. Aceasta ar însemna că prețul ar merge oricum chiar mai departe decât am planificat. Atunci de ce nu aș stabili un obiectiv și mai mare! În concluzie, cred că voi lăsa stop loss-ul neschimbat. Singurul lucru la care mă pot gândi este să mut stop loss la intrarea mea după ce prețul s-a mutat în intervalul de risc simplu. Atunci îmi las riscul practic la fel, doar cu diferența că nu mai pot intra în pierdere.

Considerațiile lui Petru relevă un alt aspect interesant. Presupunând că riscul rămâne neschimbat, are sens să mutăm stop loss la prețul de intrare în momentul în care se atinge un raport risc/recompensă de 1. Riscul rămâne neschimbat, cu excepția faptului că profitul acumulat și capitalul propriu nu mai este în pericol. Pe de altă parte, probabilitatea unui stop loss crește în mod corespunzător, deoarece stop loss este din nou ajustat la prețul curent.

În cele din urmă, este întotdeauna o chestiune de a evalua dacă și unde stop loss-ul va rămâne în urma prețului.

Acum că am discutat în detaliu despre trailing stop, putem folosi cunoștințele dobândite pentru a rafina și mai mult acest domeniu. Poate că încă mai este loc de îmbunătățiri în ceea ce privește o intrare și o ieșire pas cu pas într-o tranzacție și dintr-o tranzacție.

Intrați, ieșiți, avansați: Iată cum vă puteți crește câștigurile fără să vă schimbați riscul!

Rezultatele noastre de tranzacționare pot fi deja influențate în mod semnificativ de utilizarea unui trailing stop. În special în ceea ce privește "Money Management Matrix", acest lucru poate duce la oportunități interesante pentru noi. Acum putem merge chiar mai departe și să analizăm impactul unei intrări și ieșiri treptate dintr-o poziție asupra rezultatelor noastre de tranzacționare. Înainte de toate, însă, trebuie să știți că, în acest moment, avem de-a face cu tehnici și strategii pentru investitori avansați. Avansați în două sensuri. Pe de o parte, aceste strategii sunt deja ceva mai complexe și necesită calcule mai intense decât ideile anterioare. Pe de altă parte, aceste strategii pot fi implementate pe deplin numai după ce contul dvs. de tranzacționare a atins o anumită dimensiune.

Să începem prin a intra imediat într-o tranzacție. Până acum, am luat întotdeauna în considerare întreaga măsură a considerației noastre. Acest lucru s-a terminat acum! Acum dorim să analizăm mai îndeaproape două opțiuni pentru o intrare pe piață pas cu pas.

O variantă a unei intrări pas cu pas - "Scaling In" - pe piață constă în plasarea unei părți din poziția planificată pe piață înainte de semnalul de intrare propriu-zis. Cu această variantă agresivă sunteți deja pe piață atunci când începe efectiv mișcarea dorită. Abia atunci când ajungeți la semnalul de intrare creșteți poziția la întreaga sumă.

Dacă, pe de altă parte, strategia dvs. nu funcționează, vă asumați doar un risc redus cu subpoziția dvs., cu care sunteți oprit în caz de pierdere. Avantajul acestei metode este că puteți beneficia de mișcare încă de la început, fără a vă crește disproporționat riscul.

A doua modalitate de a începe în mai mulți pași este de a urmări o tendință în timp. Strategia în acest caz este de a crește treptat poziția după ce aceasta este deja în profit. În acest fel, vă puteți asigura șansa unor profituri disproporționate fără a vă asuma riscuri suplimentare. Cu această abordare, gestionarea activă a riscurilor și a tranzacțiilor este esențială!

Să analizăm prima posibilitate prin intrarea treptată într-o tranzacție:

Figura 55: NASDAQ 100 INDEX, grafic săptămânal (o lumânare = o săptămână). După un raliu abrupt, indicele Nasdaq100 a scăzut până la punctul 1, a crescut de acolo până la punctul 2 și apoi a scăzut din nou până la

punctul 3, formând un minim superior în cadrul unei corecții de tendință. Odată cu depășirea punctului 2, este probabilă o continuare a tendinței ascendente. O intrare anterioară oferă șanse suplimentare de câștig. Sursa: www.tradingview. com

Vedem indicele Nasdaq 100 pe graficul săptămânal. Ca urmare a corecției bruște a fostei mișcări ascendente, Nasdaq 100 a căzut la punctul 1, la 3.787 de puncte. De acolo, o primă mișcare din nou ascendentă în tendință a dus la punctul 2, care forma un nou maxim mai ușor la 4.739 de puncte. Următoarea mișcare descendentă nu a putut marca un nou minim, ci s-a oprit la punctul 3 la 3.888 de puncte. Cu aceste trei puncte și cu abordarea clasică de a intra pe piață odată cu depășirea punctului 2, putem deschide o tranzacție în ideea de a urmări trendul odată ce punctul 2 este atins și depășit. Așadar, așa cum am presupus din punctul 3, Nasdaq 100 și-a reluat impulsul inițial de creștere cu o serie de lumânări verzi. Dar această mișcare nu a dus la un nou maxim, în schimb prețul s-a oprit în ultima treime a intervalului și a mers lateral pentru o vreme, oferind o bună șansă de a intra pe piață la un preț mai bun.

Ne putem crește șansele de câștig dacă nu intrăm pe piață deodată, ci împărțind poziția în mai multe subpoziții. Lăsăm neschimbate punctul de intrare planificat și stop loss-ul inițial. De asemenea, lăsăm dimensiunea poziției neschimbată în ansamblu. Acestea sunt condițiile de bază pentru prima noastră variantă.

În acest moment, să presupunem că împărțim poziția noastră în două poziții parțiale. Ca de obicei, dorim să dăm o parte din ea pieței atunci când este atins punctul de intrare. Cu cealaltă parte dorim să intrăm mai devreme pe piață. Stop loss-ul este identic în fiecare caz, astfel încât gestionarea comercială a poziției globale să se poată face în mod obișnuit atunci când este atins punctul de intrare.

Pentru a deschide prima noastră poziție parțială, trebuie să identificăm un punct din grafic în care există o probabilitate ca prețul să se miște în direcția dorită.

Acest punct reprezintă ieșirea din intervalul mic și din maximul acestuia de la 4.574 de puncte. Atunci când acest maxim este atins, sunt șanse mari ca corecția prețurilor să se fi încheiat până la urmă și să se continue trendul ascendent anterior, inclusiv spargerea punctului 2, unde dorim să ne completăm tranzacția cu a doua jumătate a poziției.

Să aruncăm o privire mai atentă. În cadrul micului interval, Nasdaq 100 formează din nou un minim mai ridicat, urmat de o lumânare verde lungă care o cuprinde pe cea roșie. Putem vedea acest lucru prin faptul că, după o scurtă corecție, prețul este deja din nou în creștere și continuă mișcarea ascendentă. Acest fapt confirmă evaluarea noastră pozitivă.

Astfel, o continuare a mișcării ascendente și o depășire a maximului de la punctul 2 pare foarte probabilă. Acest lucru, la rândul său, ne dă dreptul să deschidem subpoziția noastră la intrarea 1. Dacă piața își continuă acum mișcarea ascendentă, vom fi deja în profit cu 165 de puncte atunci când a doua parte a poziției noastre va fi deschisă la intrarea 2 la 4.739 de puncte. Din acest moment, poziția este completă, iar gestiunea merge ca de obicei.

Ca urmare a primei poziții parțiale, avem deja un profit de 165 de puncte în comparație cu o intrare completă! Iar partea cea mai bună este că riscul nostru absolut rămâne neschimbat.

Cu toate acestea - trebuie să luăm în considerare și acest aspect - prin intrarea mai devreme pe piață, ne asumăm un risc suplimentar pe care nu ni l-am fi asumat pe baza planificării noastre inițiale. De fapt, suntem pe piață înainte de a fi atins semnalul real de intrare. Dacă piața se retrage acum, va trebui să închidem poziția noastră parțială ca o tranzacție pierzătoare. Deoarece suntem mai devreme pe piață, este posibil să putem face tranzacții pe care nu le-am fi făcut cu strategia noastră inițială.

După cum știți deja, acest lucru are, în mod natural, un impact asupra ratei noastre de succes. Aceasta se va deteriora în mod inevitabil.

Pentru că, dacă strategia noastră va funcționa, vom deschide a doua subpoziție, așa cum am planificat. Așadar, nu are nicio importanță. Oricum ar fi, suntem pe piață. Cu toate acestea, dacă strategia nu funcționează, adăugăm la statisticile noastre un perdant pe care nu l-am fi avut altfel.

Această abordare va crește, de asemenea, riscul global. În cazul unei pierderi, se înregistrează doar jumătate din riscul planificat, dar, din cauza ratei de succes mai mici, pierderile vor apărea mai des decât în cazul în care nu se utilizează o valoare nominală.

Vestea bună este că, în acest fel, ne creștem raportul risc/recompensă realizat. Pentru că, dacă ideea noastră de tranzacționare funcționează și ne atingem ținta de profit, atunci ne creștem profitul absolut, așa cum am văzut deja.

Frecvența de tranzacționare va crește, de asemenea, deoarece vom intra pe piață mai repede cu o poziție parțială decât cu o poziție totală. Acest lucru înseamnă că nu suntem doar mai rapizi, ci și mai des pe piață.

Prin urmare, putem afirma cu privire la această variantă că, prin utilizarea a două subpoziții, vă puteți crește raportul risc/recompensă realizat, în unele cazuri în mod semnificativ. Rata de succes mai mică și creșterea frecvenței de tranzacționare sunt atenuate de faptul că, în cazul unei pierderi, adesea doar jumătate din risc este realizat ca pierdere. Ceea ce trebuie să luați în considerare aici sunt, de asemenea, costurile de tranzacționare suportate pentru fiecare subpoziție. În funcție de produsul pe care îl tranzacționați, acestea pot reduce rapid și considerabil profiturile suplimentare.

Am menționat și o a doua opțiune care ne-ar permite să ne creștem profiturile, menținând în același timp riscul poziției. Am constatat deja că, deși ne creștem profiturile dacă intrăm mai devreme pe piață, trebuie să acceptăm că rata noastră de succes va scădea. Poate că putem proceda altfel.

De exemplu, am putea să ne creștem treptat poziția și astfel să construim o piramidă, ca să spunem așa. Ca de obicei, aici intrăm pe piață cu întreaga dimensiune a poziției noastre și continuăm să ne mărim poziția la fiecare nouă oportunitate. Să ne uităm și la grafic.

Figura 56: S&P 500 INDEX, grafic săptămânal (o lumânare = o săptămână). S&P 500 a scăzut până la punctul 1, a crescut de acolo până la punctul 2 și apoi a scăzut din nou până la punctul 3. Noua tendință este stabilită odată cu depășirea punctului 2. Intrările după fiecare corecție sunt la punctele 4, 6, 8, 8, 10, 10, 12, 14, 16 și chiar 18 au ca rezultat șanse suplimentare de câștig. Sursa: www.tradingview.com

După intrarea noastră în indicele S&P 500 cu o depășire a punctului 2 la 1.295 de puncte, am deschis poziția noastră integral, așa cum am planificat. Prețul se mișcă apoi direct în direcția noastră și obținem imediat primele noastre profituri contabile. Prețul urcă până la punctul 4 la 1.425 de puncte pentru a se corecta de acolo. Declinul aduce S&P 500 la punctul 5 la 1.241 de puncte.

Cu toate acestea, deoarece ne-am efectuat analiza tehnică în mod conștiincios, nu ne lăsăm supărați. Dimpotrivă. Pentru noi, aceasta este o bună ocazie de a ne mări poziția la un preț favorabil și de a ne spori astfel șansele de profit în tendința actuală abia începută.

Vrem să profităm de această oportunitate prin depășirea ultimului maxim de la punctul 4. La prima vedere, este evident că punctul 5 este un nou stop loss pentru noua noastră poziție. Pentru a nu crește riscul global al celor două poziții, tragem stop loss-ul primei tranzacții sub punctul 5. Ca urmare, avem acum același stop loss pentru ambele poziții.

Trebuie să ținem cont de faptul că prima noastră tranzacție de la punctul 5 este încă în pericol cu aproape o treime. Desigur, nu dorim să creștem riscul global al ambelor poziții, ci mai degrabă să îl menținem constant. Acest lucru înseamnă că trebuie să menținem dimensiunea celei de-a doua poziții a noastră corespunzător mai mică decât prima.

Vă reamintim că nu dorim să ne asumăm un risc global mai mare cu suma pozițiilor noastre decât cel planificat pentru poziția inițială. Aceasta este singura modalitate de a ne optimiza șansele de câștig fără a ne asuma riscuri suplimentare!

Să ne uităm din nou la grafic. S&P 500 își continuă mișcarea ascendentă de la punctul 5 și, odată cu depășirea punctului 4, deschidem a doua noastră poziție și stop loss conform planului.

La scurt timp după breakout, prețul începe să revină din nou de la punctul 6, la 1.477 de puncte, și cade la punctul 7, la 1.318 puncte. Aceasta este o altă ocazie bună pentru noi de a ne mări poziția globală în tendința ascendentă în curs. Alegem din nou depășirea punctului 6 ca următor punct de intrare și luăm ca stop loss pentru noua poziție ultimul minim de la punctul 7. Bineînțeles, nu exact pe punct, dar întotdeauna cu câteva puncte mai jos. La urma urmei, nu vrem să fim opriți prea repede. Stop loss pentru cele două poziții existente este, de asemenea, inclus în punctul 7.

Acum ne-am asigurat deja prima tranzacție cu 23 de puncte de profit și a doua tranzacție cu 107 puncte de risc. Putem determina dimensiunea poziției noastre pentru a treia tranzacție în mod corespunzător.

După depășirea punctului 6, prețul crește până la un nou maxim la punctul 8, la 1.690 de puncte, iar de acolo scade ușor până la punctul 9, la 1.535 de puncte. Încă o dată, dorim să profităm de această ocazie pentru a ne extinde în continuare poziția globală. Cu o depășire a punctului 8, deschidem următoarea noastră poziție și stabilim stop loss pentru toate tranzacțiile curente sub punctul 9 la 1.535 puncte.

În total, am asigurat astfel prima tranzacție cu peste 240 de puncte, a doua tranzacție cu 110 puncte și a treia tranzacție cu 58 de puncte de profit. Avem a patra tranzacție în risc cu 155 de puncte. Așadar, în cazul unui stop, trebuie să deducem acele 155 de puncte din profitul total.

Continuăm să adăugăm tranzacție cu tranzacție la poziția noastră cu fiecare corecție și cu fiecare depășire a unui maxim anterior de la punctele 10-18, stabilind și urmărind stop loss-ul general de la fiecare nou minim mai mare la următorul. În total, avem posibilitatea de a deschide opt poziții cu un profit cumulat și asigurat de peste 3.000 de puncte!

Dar chiar și cea mai frumoasă tendință se termină la un moment dat și astfel prețul scade imediat după intrarea noastră la punctul 18 sub ultimul minim de la punctul 19. Suntem opriți la 1.879-25 de puncte sub ultimul minim - și toate pozițiile sunt închise.

Managementul Riscului Și Al Capitalului Monetar

	Entry	Stop Loss	Risk (Points)	Stop Loss 1	Risk (Points)	Stop Loss 2	Risk (Points)	Stop Loss 3	Risk (Points)	Stop Loss 4	Risk (Points)	Stop Loss 5	Risk (Points)	Stop Loss 6	Risk (Points)	Stop Loss 7	Risk (Points)
Position 1	1,295	1,133	-162	1,241	-54	1,318	23	1,535	240	1,602	307	1,712	417	1,789	494	1,879	584
Position 2	1,425			1,241	-184	1,318	-107	1,535	110	1,602	177	1,712	287	1,789	364	1,879	454
Position 3	1,477					1,318	-159	1,535	58	1,602	125	1,712	235	1,789	312	1,879	402
Position 4	1,690							1,535	-155	1,602	-88	1,712	22	1,789	99	1,879	189
Position 5	1,712									1,602	-110	1,712	0	1,789	77	1,879	167
Position 6	1,852											1,712	-140	1,789	-63	1,879	27
Position 7	1,900													1,789	-111	1,879	-21
Position 8	1,994															1,879	-115
Profit																	3,566

Figura 57: O imagine de ansamblu a tranzacțiilor individuale din poziția globală. Prețul de intrare, stop loss și trailing stop cu riscul corespunzător sau profitul acumulat. La prețurile de intrare se adaugă întotdeauna 3 puncte pentru a nu tranzacționa punctul maxim direct. Stop loss include întotdeauna un tampon de siguranță de 25 de puncte până la punctul minim corespunzător.

Ca urmare, putem raporta un profit total de 3.566 de puncte! Dacă acum comparăm acest lucru cu rezultatul pe care l-am obținut doar cu prima poziție, atunci, la prima vedere, rezultatul este un "schimbător de joc". Cu piramida, cu trailing stop-ul și cu adăugarea a încă șapte tranzacții, am câștigat cu aproape 3.000 de puncte mai mult decât am fi avut cu prima poziție ca fiind una singură. Vă rugăm să observați, de asemenea, că am avut un profit total începând cu tranzacția numărul patru.

O ultimă observație. Calculul a fost prezentat în mod deliberat în puncte pentru a vă da o idee despre procedura de bază. În practică, bineînțeles, mărimea poziției corespunzătoare face parte, de asemenea, din puncte, astfel încât rezultatele reale sunt diferite.

Un aspect important care devine clar este că este bine să reduceți puțin dimensiunea poziției la fiecare nouă poziție - pur și simplu pentru a nu pune în pericol profiturile acumulate. Imaginați-vă această metodă ca pe o piramidă. Prima tranzacție formează baza și reprezintă cea mai mare poziție. A doua tranzacție, de exemplu, este alocată doar cu 75% din dimensiunea reală a poziției. A treia tranzacție apoi tot cu 50%, iar a patra tranzacție poate doar cu 25% din dimensiunea inițială a poziției. Procedând astfel, vă asigurați că vă maximizați potențialul de profit, protejându-vă în același timp profiturile acumulate. Amintiți-vă întotdeauna că până și cea mai frumoasă tendință se va încheia la un moment dat și că pericolul unei corecții crește în timp.

În practică, veți experimenta în mod regulat că ultima tranzacție este perdantă. Din acest motiv, piramida este orientată în partea de sus, iar pozițiile luate sunt în mod corespunzător mai mici.

În practica de tranzacționare, vă veți confrunta în mod regulat cu limitele fezabilității acestei strategii din cauza divizibilității limitate a loturilor, acțiunilor, ETF-urilor sau contractelor futures. O structură piramidală infinită nu poate fi realizată în practică. În schimb, o piramidă cu două sau trei niveluri, pe de altă parte, o face adesea. Acest lucru ar trebui să fie, de asemenea, suficient pentru a însoți o tendință suficient de mult timp înainte ca aceasta să se întoarcă în cele din urmă.

Ca regulă generală, putem spune că, cu cât contul dumneavoastră este mai mare și, prin urmare, riscul pe care vi-l asumați, cu atât mai mari vor fi pozițiile care vor fi împărțite - și cu atât mai ușor va fi pentru dumneavoastră să construiți o piramidă.

Ce înseamnă structura piramidală pentru "Matricea noastră de gestionare a banilor"? Dacă suntem foarte preciși, atunci trebuie să numărăm fiecare poziție în parte. În consecință, ne creștem frecvența de tranzacționare odată cu piramidalizarea. Pe măsură ce ducem o tendință până la capăt cu tot mai multe poziții noi, vom putea, de asemenea, să ne creștem ușor rata de succes. Faptul că ultima tranzacție pierde în mod regulat nu se schimbă atât de mult. Pe de altă parte, raportul risc/recompensă realizat va scădea în general, deoarece vom avea întotdeauna cu noi un mare câștigător, dar și mulți alții mai mici, așa cum am văzut mai sus.

Acest lucru înseamnă: frecvență mare de tranzacționare, rată mare de succes și un raport risc/recompensă mai mic. În concluzie, o piramidă este, prin urmare, o modalitate bună de a îmbunătăți rezultatele de tranzacționare, atâta timp cât menținem raportul risc/recompensă realizat peste 1.

Rămâne să luăm în considerare riscul. Dacă construim corect piramida, riscul global nu va fi niciodată mai mare decât riscul individual. Dimpotrivă: cu fiecare nouă treaptă a piramidei, riscul se reduce pe măsură ce pozițiile devin mai mici. În același timp, stopurile pozițiilor aflate deja în curs de desfășurare sunt urmărite până la noul stop loss. Concluzia este că, deși luăm mai multe poziții, nu ne creștem riscul global. Și din acest punct de vedere, nu este nimic de spus împotriva unei piramide construite în mod profesionist.

Ca o concluzie, putem afirma că, prin creșterea treptată a pozițiilor, putem exploata la maximum potențialul de profit al unei mișcări. Intrarea cu o poziție parțială vă oferă cele mai bune șanse cu un risc neschimbat. Condiția prealabilă este însă o dimensiune corespunzătoare a poziției care să fie divizibilă. Dar aici, mulți comercianți își ating deja limitele. Prin urmare, alegeți întotdeauna un produs sau un suport pentru tranzacționarea dvs. care vă permite să vă divizați poziția.

Atunci când se construiește o piramidă, această provocare se intensifică. Acest lucru se datorează faptului că, la fiecare pas, trebuie puse în pericol sume mai mici, ceea ce necesită poziții de dimensiuni mai mici. În cazul piramidării, gestionarea sofisticată a riscurilor este crucială pentru succes. Mai ales sub aspectul că susceptibilitatea la corecții crește odată cu trecerea timpului și, prin urmare, crește pericolul de a fi oprit, dimensionarea pozițiilor este esențială. În caz de dubiu, este mai bine să rămâneți în defensivă în această privință!

În legătură cu tranzacționarea pas cu pas, ne-am ocupat doar de punctul de intrare - scalarea în (scaling in). În pasul următor, să analizăm și punctul de ieșire – scalarea din (scaling out). Chiar și cu o ieșire treptată dintr-o poziție, ne putem îmbunătăți rezultatul general.

Să ne uităm din nou direct la un grafic:

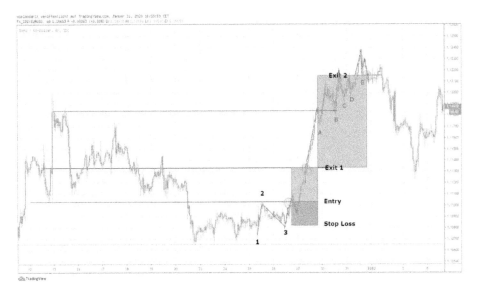

Figura 58: EUR/USD, graficul de 60 de minute (o lumânare = 60 de minute). Prețul perechii valutare a ieșit din intervalul de variație și a trecut la un raliu abrupt, atingând prima țintă într-o singură mișcare îndrăzneață. Apoi a urcat mai sus până la rezistența majoră. După ce a depășit-o, drumul în sus a fost întrerupt de câteva corecții scurte. Minimele corecțiilor oferă puncte de referință bune pentru un trailing stop. Pătratele arată raportul risc/recompensă și profitul suplimentar obținut cu subpoziția. Sursa: www.tradingview.com

Tranzacționăm EUR/USD și speculăm pe o creștere a euro. După ce a atins punctul 1, perechea a urcat inițial până la punctul 2 și apoi a scăzut înapoi la punctul 3. De acolo, perechea valutară pornește din nou spre nord.

Dorim să alegem depășirea punctului 2 de la 1,11023 dolari ca semnal de intrare și să deschidem poziția noastră atunci când acest punct este depășit. Stop loss este stabilit sub punctul 3, iar noi ne-am stabilit ținta de profit cu un raport risc/recompensă planificat de 1,5. Acest lucru înseamnă că, cu un risc de 21 de pips, dorim să obținem un profit de 32 de pips rotunjite. Așadar, plasăm ținta de profit la 1,11343 dolari.

O privire aruncată pe grafic ne spune că există mai multe obstacole de depășit în drumul spre țintă, pe care o putem identifica ca fiind o rezistență majoră ușor deasupra punctului 2, urmată de o rezistență construită de câteva foste minime. Deoarece perechea poate suferi câteva corecții aici, ținta de profit de 1,5 RRR corespunde destul de bine analizei noastre tehnice. Cunoașteți deja acest scenariu clasic din tranzacțiile anterioare.

Până în prezent, am obținut întotdeauna rezultate bune, deoarece un raport risc/recompensă bine planificat și realizat ne duce deja cu mult înainte în planificarea succesului nostru.

Acum dorim să alegem o strategie de ieșire diferită. În acest scop, ne stabilim obiectivul de profit așa cum am descris. Dar acolo vrem să ieșim doar cu jumătate din poziția noastră. De asemenea, dorim să lăsăm cealaltă jumătate bine asigurată.

Să ne întoarcem la tranzacția noastră Prețul crește rapid și fără ezitare după intrarea noastră. Pe măsură ce perechea urcă în sus, ținta noastră de profit este atinsă. Așa cum am planificat, ieșim din jumătate din poziția noastră și realizăm profitul. Am obținut astfel un raport risc/recompensă realizat de 1,5 pentru această parte a poziției. Vom renunța la restul poziției. Acum putem urmări stop loss-ul până când poziția parțială este oprită.

Așadar, dorim să urmărim stop loss-ul subpoziției rămase sub fiecare nivel scăzut mai mare nou creat. Acum că am derulat prima jumătate a poziției noastre, prețul scade din nou, într-o oarecare măsură, până la punctul A. Acest punct formează acum noul stop loss. Atunci când minimele B, C și D sunt marcate după o nouă creștere, ne mutăm stop loss-ul sub aceste puncte, de asemenea.

Cu un stop loss sub punctul E, la 1,12160 dolari, avem deja 123 de pips în profit dacă închidem poziția în acest moment.

Din punctul E, perechea EUR/USD continuă să crească, dar nu atinge un nou maxim. În schimb, a căzut sub ultimul minim până la stop loss-ul nostru de urmărire la 1,12160 dolari. În acest moment realizăm un profit cu subpoziția noastră rămasă de 123 de pips. Împreună cu prima jumătate a poziției noastre, acest lucru ne aduce la un raport risc/recompensă realizat de 3,7! Dacă acum comparăm acest rezultat cu ceea ce am fi obținut fără a împărți poziția, avantajul acestei strategii devine clar.

Pentru a completa considerația, ne putem uita și la un calcul pentru această tranzacție. După cum am menționat la început, o astfel de strategie poate fi descrisă doar de la o anumită dimensiune a contului dvs. de tranzacționare. Prin urmare, de dragul simplității, luăm ca bază pentru calculele noastre un cont cu un capital de tranzacționare de 20.000 de dolari. Dorim să luăm 1% din acesta ca risc, ceea ce dă o valoare absolută a riscului de 200 de dolari - sau, pentru a fi mai practic pentru calculul nostru, 210 dolari. În forex putem tranzacționa un lot sau 100.000 de [15]dolari în cadrul acestui profil de risc. Această sumă la risc constituie baza pentru următorul calcul.

---

[15]   Un lot echivalează cu 100.000 de dolari în EUR/USD. Un Mini Lot este de 10.000 $, iar un Micro Lot este de 1.000 $.

	Single Position	Position Part 1	Position Part 2	Total Profit
Entry	$1.11023			
Stop Loss	$1.10810		$1.12260	
Risk in Pips	21			
Profit Target	$1.11343	$1.11343		
Profit in Pips	32			
RRR planned	1.5			
Profit Pips 1.Part		32		
Profit Pips 2.Part			123	
RRR Realized	1.5	1.5	5.9	3.7
Position size	$100,000	$50,000	$50,000	
Risk absolute	$210			
Profit absolute	$320			
Profit 1. Part		$160		
Profit 2. Part			$615	$775

Figura 59: Calculul tranzacției noastre cu EUR/USD. Pe baza unui cont de tranzacționare cu 20 000 de dolari și a unui risc de luat în valoare de 1%, rezultatele sunt afișate cu o singură poziție și cu divizarea poziției. Datorită poziției divizate, profitul total ar putea fi crescut semnificativ.

Vedem în calcul că am realizat un raport risc/recompensă de 5,9 cu cea de-a doua subpoziție. Este mai mult decât respectabil. Cu toate acestea, în ciuda rezultatelor fără îndoială bune, trebuie să subliniem din nou că, așa cum se întâmplă din păcate, nu realizăm întotdeauna profituri cu subpoziția noastră rămasă, ci vom experimenta, de asemenea, în mod regulat, că prețul declanșează stop loss într-un stadiu incipient. Astfel de rezultate cu adevărat bune nu sunt, prin urmare, evidente de la sine.

Ar trebui să realizați că, prin divizarea poziției, păstrați șansa de a obține profituri suplimentare, dar dacă acestea nu se produc, atunci veți avea rezultate mult mai proaste în total decât dacă ați lichida poziția în ansamblu.

Acest lucru ne conduce direct la o examinare critică cu ajutorul "Matricei de gestionare a banilor". Datorită scalării în caz de victorie, rata noastră de succes rămâne neschimbată. Tranzacția este o lovitură, indiferent dacă este înjumătățită sau întreagă. Totuși, acest lucru presupune că privim cele două subpoziții ca pe o singură tranzacție. Din moment ce am deschis tranzacția ca pe o singură entitate, putem proceda și în acest fel. Prin urmare, rata de succes rămâne neschimbată. Care este frecvența de tranzacționare? De asemenea, aceasta rămâne neschimbată. Distribuția în cazul unui câștig nu o schimbă. Dar ceea ce se schimbă sunt costurile de tranzacționare. Acestea sunt majorate de costurile de închidere a poziției rămase. Costurile cresc în mod fundamental riscul, pentru că asta sunt. În afară de aceasta, riscul poziției rămâne neafectat. Dacă stop loss este mutat la punctul de intrare imediat ce obiectivul de profit este atins, riscul este eliminat. Singurul risc care rămâne este că subpoziția rămasă nu va obține profit, ci va fi oprită la punctul de intrare cu break-even - ceea ce, desigur, are consecințe directe asupra raportului risc/recompensă realizat. Acest lucru se datorează faptului că, dacă subpoziția rămasă nu realizează un profit, dar se închide în jurul valorii de break even, atunci raportul risc/recompensă realizat este înjumătățit! În comparație cu riscul inițial, realizăm doar jumătate din ceea ce avem nevoie pentru a tranzacționa profitabil!

Să lăsăm ca această perspectivă să aibă efect. Presupunând că ne maximizăm profiturile, ne asumăm riscul de a înjumătăți raportul risc/recompensă realizat. Acest lucru are ca rezultat o consecință esențială pentru dumneavoastră. Utilizați această metodă numai dacă tranzacționați o piață sau o valoare care se află într-o fază de tendință puternică. Cu cât trendul merge mai departe, cu atât mai atent trebuie să căutați semnale de inversare. Acestea pot fi modele sau formațiuni de lumânări. Această strategie necesită, de asemenea, un management profesionist al tranzacțiilor!

În legătură cu extinderea, să analizăm o altă idee pe care o putem folosi pentru a ne gestiona în mod profesionist rezultatele. Această strategie nu se referă atât de mult la maximizarea profiturilor - nu vom realiza acest lucru cu această strategie - ci mai degrabă la minimizarea pierderilor. În consecință, analizăm apoi modul în care putem desface pozițiile parțiale atunci când nu suntem în profit, ci în pierdere.

Să ne uităm la un alt grafic:

Figura 60: ALIBABA GROUP HOLDINGS LTD. (BABA), grafic săptămânal (o lumânare = o săptămână). BABA a arătat primele tendințe de inversare, marcând un nou maxim intermediar și corectând spre un minim mai ridicat. Spargerea din punctul 2 ar trebui să continue tendința. Un scaling-out în pierdere reduce pierderea totală. Sursa: www.tradingview.com

Să presupunem că dorim să tranzacționăm BABA. Pentru a lua o decizie calmă și solidă, alegem graficul săptămânal ca cadru pentru analiza noastră grafică. Putem observa că BABA s-a corectat în cadrul unui trend ascendent până la punctul 1, la 164,25 dolari. De acolo, acțiunea a urcat din nou până la un nou maxim la 206,20 dolari și a fost vândută din nou până la un minim mai mare la punctul 3 la 166,13 dolari. Dorim să speculăm pe o creștere suplimentară și să deschidem tranzacția atunci când punctul 2 este depășit. În detrimentul nostru, BABA nu are o performanță așa cum ne-am dori, ci face exact opusul. Începe să scadă imediat după ezitarea inițială. Totul pare că ne întâlnim cu stop loss-ul nostru, pe care l-am plasat sub punctul 1, la 164,20 dolari. În mod normal, ar fi trebuit să fie sub punctul 3, dar cum 1 și 3 sunt foarte apropiate, am decis să facem un pic mai sigur și să dăm pieței un pic mai mult spațiu pentru mișcările sale.

În principiu, aceasta nu este o problemă majoră, deoarece managementul nostru profesional al riscurilor ne protejează de pierderi neplanificate. Dar asta nu înseamnă că ne place să pierdem și că pur și simplu trebuie să stăm și să privim cum tranzacția devine perdantă. Dar nici nu vrem să ieșim din ea atât de direct, pentru că am vorbit deja despre faptul că este mai degrabă contraproductiv să perturbăm o tranzacție. Poate că piața are nevoie doar de puțin aer pentru a respira.

Deci, ce putem face în afară de a aștepta să vedem cum se oprește tranzacția? Putem, de asemenea, să operăm o gestionare activă a tranzacțiilor în cazul pierderilor. În cazul unei pierderi, poate fi de asemenea recomandabil să vă împărțiți poziția în subpoziții. O bună posibilitate de a pune în aplicare acest lucru în mod profesionist este, de exemplu, ieșirea parțială în funcție de criteriile tehnice ale graficelor.

Pe grafic, prețul din punctul A formează cel puțin o primă mișcare ascendentă, deoarece formează o lumânare verde și o inversare de la punctul A la C aici. Putem lua această lumânare verde și această inversare ca pe o oportunitate de a ne reduce poziția. Pentru a face acest lucru, stabilim stop loss pentru poziția noastră parțială - de exemplu, jumătate din poziția totală - sub punctul C la 184,75. Dacă prețul scade sub punctul C, vom ieși cu jumătate din poziția noastră. Apoi ne asumăm prima pierdere și lăsăm cealaltă jumătate neschimbată. Această jumătate rămasă este în continuare protejată de stop loss-ul inițial.

Avantajul nostru în cadrul acestei strategii este că ne putem reduce pierderile și, în același timp, putem păstra șansa unui rezultat pozitiv. În acest fel, acordăm dreptate atât riscului nostru, cât și gestionării banilor.

Cu toate acestea, trebuie să ne asigurăm că nu vom face o ieșire parțială prea devreme. O poziție redusă în acest fel are puține șanse să treacă linia de sosire ca un mare câștigător. Acest lucru se datorează faptului că, chiar dacă rezultatul este încă pozitiv, trebuie mai întâi să deducem pierderea subpoziției dizolvate din profitul subpoziției rămase. În cel mai bun caz, rămâne un profit, dar, ca regulă generală, putem fi mulțumiți dacă ajungem doar la un echilibru al profitului și nu trebuie să suportăm noi înșine costurile de tranzacție. Din acest motiv, nu trebuie să acționăm în grabă, ci întotdeauna în mod conștient și conform unor criterii fixe. În acest moment, tehnica grafică ne servește bine pentru a determina în ce moment probabilitatea este mai puternic împotriva noastră.

Să privim rezultatul și în termeni de cifre concrete:

	Single Position	Position Part 1	Position Part 2	Total Profit
Entry	$206.20			
Stop Loss	$164.20	$184.75	$164.20	
Risk in USD	$42.00	$21.45	$42.00	
Number of Shares	11	6	5	
Positionsize	$2,268.20			
Risk absolute	$462.00			
Loss absolute	-$462.00	-$128.70	-$210.00	-$338.70

Figura 61: Prin dizolvarea unei poziții parțiale, pierderea totală este redusă cu peste 26%.

Cifrele vorbesc de la sine. Presupunând că luăm ca bază un cont de tranzacționare de 50.000 de dolari și că riscăm 1% din contul nostru de tranzacționare pentru această tranzacție ca de obicei, putem cumpăra 11 acțiuni BABA. Vânzând o jumătate - 6 din 11 acțiuni - am reușit să ne reducem pierderea cu 26,7%. La urma urmei. O pierdere salvată este aproape ca un câștig. Ea mărește capitalul financiar pentru următoarea noastră tranzacție!

Time-Warp: Cum să îmbinați cadre temporale diferite?

Deși acum suntem foarte avansați în considerațiile noastre și ne aflăm la un nivel profesional foarte ridicat, puteți adăuga încă o idee la cunoștințele pe care le aveți.

Până acum, am presupus întotdeauna că ne mișcăm într-un singur interval de timp. Intrările și ieșirile erau toate într-un singur interval de timp. De exemplu, analiza unui activ subiacent se făcea doar în graficul de 60 de minute, de 4 ore, zilnic sau săptămânal. În consecință, punctele de intrare și de ieșire au fost determinate tot în același grafic. Acest lucru este doar plauzibil și s-a dovedit a ne aduce rezultate clar pozitive.

Și acesta este exact punctul de la care dorim să începem cu considerațiile noastre ulterioare. Am observat deja în cazul stilurilor de tranzacționare că acestea sunt utilizate în diferite intervale de timp. Dar de ce ar trebui să ne angajăm doar pentru un singur interval de timp, când putem privi și dincolo de orizont? Poate că ne putem îmbunătăți rezultatele aici fără a fi nevoiți să ne schimbăm stilul de tranzacționare ales.

Ce posibilități se ivesc pentru dumneavoastră dacă vă uitați la două sau trei intervale de timp în loc de unul singur? Luarea în considerare a diferitelor intervale de timp are mai multe avantaje pentru dumneavoastră.

Pe de o parte, acest lucru vă permite să identificați rezistențe și suporturi ascunse care se află în alte intervale de timp. Vă puteți îmbunătăți rata de reușită alegându-vă tranzacțiile în mod și mai conștient și mai selectiv. Pe de altă parte, vă puteți rafina intrările căutând semnale de intrare nu numai în cadrul temporal preferat, ci și în cele de sub acesta. Acest lucru vă oferă posibilitatea de a obține un profit suplimentar și de a găsi intrări în piață mai profitabile . De asemenea, puteți să vă definiți stop loss-ul într-un mod mai restrâns, de exemplu, căutând niveluri concrete pentru stop loss-ul dumneavoastră într-un interval de timp subordonat. Cel de-al doilea punct, în special, vă poate ajuta să avansați în gestionarea banilor fără a fi nevoie să vă schimbați semnificativ riscul.

Să ne uităm imediat la prima variantă. Imaginați-vă că efectuați o analiză amănunțită a unui activ în intervalul de timp preferat. Identificați o bună oportunitate de intrare în conformitate cu strategia dvs. de tranzacționare și stabiliți o intrare, la fel cum ați stabilit stop loss și ținta de profit. Când intrarea dvs. este declanșată, deschideți tranzacția. Piața menține direcția preferată, poziția se execută în profit și totul pare a fi o tranzacție de succes până acum. Dar, brusc, impulsul încetinește, piața se mișcă inițial lateral, iar apoi se corectează brusc. Câștigătorul dvs. inițial este acum în pericol de a deveni o operațiune perdantă .

Ce s-a întâmplat? Poate că ați pierdut niște știri importante? Sau nu v-ați efectuat corect analiza, până la urmă? Ce altceva ar fi trebuit să luați în considerare?

Ne confruntăm cu această situație descrisă în mod regulat, iar motivele sunt multiple. Am discutat deja despre faptul că așa ceva se poate întâmpla în mai multe rânduri și tocmai de aceea am stabilit sistemul nostru de gestionare a riscurilor. Cu toate acestea, putem evita, cel puțin parțial, aceste situații. Dacă nu ne mai limităm analiza noastră la un singur interval de timp, ci le includem și pe cele învecinate, putem cu siguranță să evităm din când în când un potențial perdant.

Să aruncăm o privire la INTEL CORP pe graficul de 15 minute pentru o imagine mai clară.

Figura 62: INTEL CORP, grafic pe 15 minute (o lumânare = 15 minute).
Intel a fost într-o tendință bună de creștere pentru o vreme și brusc iese din
canalul său doar pentru a merge și mai sus. Ce mișcare ascendentă! După ce a
atins un nou maxim, prețul a scăzut și s-a deplasat încet, dar constant, în jos,
spre a marca un minim mai mic. Sursa: www.tradingview.com

La Intel, situația este exact așa cum a fost descrisă. Odată cu deschiderea
pieței, prețul se deschide cu un decalaj de preț solid și rămâne pozitiv
în primele cincisprezece minute. O posibilă strategie pentru day
trader este o intrare după primele cincisprezece minute cu o depășire
a maximului sau a minimului din acea perioadă. Pe măsură ce prețul
continuă să crească, ne deschidem poziția la 58,76 dolari, incluzând
un stop loss (tampon) de securitate de 5 cenți. Ne plasăm stop loss
sub minimul perioadei de 15 minute, la 58,08 dolari, incluzând același
tampon. În cazul în care prețul scade sub punctul minim, un rezultat
pozitiv al ideii noastre de tranzacționare ar fi neglijat, iar probabilitatea
ca tendința de creștere să continue nu ar mai exista. Odată cu intrarea
pe piață, tranzacția se îndreaptă direct spre un profit bun, iar acțiunile
urcă până la un nou maxim. Bine, dar, brusc, impulsul ascendent se
încheie brusc și prețul începe să scadă dinamic. Mișcarea descendentă
incipientă conduce tranzacția noastră după câteva ore și zile în stop
loss și poziția este închisă marcând o pierdere . Pe măsură ce lucrurile

evoluează, prețul se mișcă lateral pentru o vreme înainte de a scădea în continuare, închizând decalajul. O mișcare ascendentă nu mai este relevantă, cel puțin nu pe termen scurt.

Întrebarea care se pune în acest moment este dacă am fi putut evita acest scenariu. Răspunsul este mixt: da și nu. Pentru că pe graficul de 15 minute nu a mai existat niciun indiciu că mișcarea ascendentă ar putea întâmpina un obstacol. Și aici intră în joc celelalte intervale de timp. Pentru ceea ce ar putea fi mai evident, am putea muta analiza de pe graficul de 15 minute pe graficul zilnic. Poate că acolo am fi putut găsi un indiciu.

Să ne uităm imediat la graficul zilnic:

Figura 63: INTEL CORP, grafic zilnic (o lumânare = o zi). După o tendință descendentă, Intel a evoluat în mod volatil lateral pentru o perioadă extinsă de timp înainte de a se rupe în sus. Sursa: www.tradingview.com

Nu este ceea ce pare a fi. Putem vedea că, după o mișcare puternică de creștere, Intel ajunge în zona în care a fost înainte și unde au început toate problemele. Aceasta este o rezistență majoră! Cu o zi înainte de decalajul de preț - care este ziua de dinaintea deschiderii tranzacției noastre - prețul formează un anumit sfeșnic (lumânare) într-o zonă remarcabilă. Lumânarea este cunoscută sub numele de Doji și indică cel puțin incertitudine pe piață. Într-o zonă foarte sensibilă, cum ar fi rezistența majoră, acesta spune ceva de genul: "Așteptați, nu suntem atât de siguri de următoarea mișcare." Așadar, aceasta este zona în care încercăm să deschidem o tranzacție speculând pe prețuri mai mari.

Deci, am cumpărat direct o rezistență! Și ca să fie și mai rău, am cumpărat aproape de maximul absolut al zilei. Această rezistență nu a fost vizibilă pe graficul de 15 minute, deoarece era prea departe de punctul de intrare în raport cu cadrul temporal. Pe graficul zilnic, însă, este vizibilă. Pe baza acestor informații, ați fi deschis tranzacția cu speculații privind creșterea prețurilor? Probabil că nu. Poate că ați fi ales, în schimb, cealaltă direcție.

Doar compararea graficelor de 15 minute cu cele zilnice ne-a adus deja claritate. Pentru a fi complet, să ne uităm la următorul interval de timp de mai sus, graficul săptămânal:

Figura 64: INTEL CORP, grafic săptămânal (o lumânare = o săptămână). Intel se află într-o tendință ascendentă pe termen lung, întreruptă de o

corecție care s-a încheiat, iar acum ajunge la o barieră puternică. Sursa: www. tradingview.com

Putem observa că Intel se află într-o mișcare ascendentă abruptă pe termen lung, care s-a încheiat brusc. După o corecție bruscă, mișcarea laterală ulterioară poate fi observată și pe graficul săptămânal. În plus, se poate observa că prețul crește cu un impuls ridicat în zona fostului maxim. Privind retrospectiv, vedem acum că ar fi o idee mult mai bună să alegem direcția opusă și să mergem short în loc să cumpărăm. Dar vedem, de asemenea, că tranzacționarea fără un stop loss este mai mult decât periculoasă și include pericolul de a vă șterge contul de tranzacționare dintr-o dată.

Putem trage mai multe concluzii din această analiză a triplului ecran (Triple Screen – Dr. Alexander Elder):

În primul rând, este important să identificăm nivelurile ascunse de rezistență sau de suport pentru a evita ca o tranzacție să fie sortită eșecului încă de la început. Pentru dumneavoastră, acest lucru înseamnă că ar trebui să vă întoarceți întotdeauna cel puțin un interval de timp pentru a vă asigura că nu există obstacole ascunse în calea ideii dumneavoastră de tranzacționare.

În al doilea rând, putem determina direcția tendinței de bază prin analiza pe mai multe intervale de timp. Astfel, puteți determina mai bine în analiza dvs. dacă tranzacționați împreună cu tendința superioară sau dacă tranzacția dvs. este doar o corecție a tendinței superioare. În funcție de acest lucru, va trebui, desigur, să determinați și să vă stabiliți ținta de profit.

În al treilea rând, această formă de analiză ne ajută să privim dincolo de orizont. Puteți folosi din nou acest lucru în mai multe moduri.

O ocazie bună este o ocazie bună! Așadar, dacă vedeți că vă așteaptă o tranzacție bună într-un interval de timp mai mic, nu există niciun motiv pentru care să nu o verificați în funcție de criteriile dumneavoastră și să nu o puneți în aplicare. În plus, această metodă vă ajută să vă îmbunătățiți sincronizarea tranzacțiilor. După cum am văzut mai sus, ideea de a intra într-o mișcare ascendentă nu a fost fundamental greșită. Dar managementul a fost. În mod evident, ar fi fost mai bine să se stabilească o țintă de profit moderată decât să sperăm la următoarea mișcare mare. Pe de altă parte, dacă intrați în tranzacție și vă asumați pierderea, iar apoi vă dați seama că oportunitățile se află acum pe partea cealaltă, de ce să nu mergeți pe această cale? Acest lucru ne aduce la o perspectivă foarte importantă. Amintiți-vă întotdeauna: În sus sau în jos - piața este cea care vă spune în ce direcție să mergeți!

Poate că vă întrebați acum ce legătură are acest aspect cu riscul și cu gestionarea banilor. Bineînțeles, foarte mult. Am văzut deja cât de important este să acordați atenție calității tranzacțiilor dvs. Obiectivul dvs. trebuie să fie acela de a menține elementele din "Matricea de gestionare a banilor" la un nivel constant ridicat. Acest lucru include, de asemenea, urmărirea ratei de succes. Dacă acum excludeți cel puțin câteva dintre tranzacțiile care sunt sortite eșecului prin acest tip de analiză, atunci acest lucru are un efect pozitiv imediat asupra ratei de succes. Aceasta va crește - mai ales dacă puteți identifica câteva oportunități profitabile pe care nu le-ați fi găsit altfel.

Numai din acest motiv, merită să comparăm mai multe intervale de timp între ele și să obținem astfel o imagine de ansamblu mai bună a ceea ce se întâmplă pe piață. Și putem arunca o privire și asupra unui alt efect pozitiv al acestei idei.

Al doilea efect pozitiv pe care îl obțineți prin analizarea diferitelor intervale de timp este rafinarea intrărilor și/sau ieșirilor dumneavoastră. Acest lucru vă permite să căutați o intrare la un interval de timp mai mic după sau chiar înainte de declanșarea semnalului dvs. real, optimizând astfel potențialul de profit. Sau puteți găsi în continuare o intrare într-o tranzacție chiar dacă ați ratat semnalul de intrare. Pentru a face acest lucru, utilizați corecția într-un interval de timp mai mic, după ce a avut loc spargerea. De acolo puteți intra în continuare pe piață, chiar dacă nu există posibilitatea de a deschide o poziție în intervalul de timp preferat.

Să analizăm o situație concretă în acest sens. Dorim să tranzacționăm indicele S&P 500 pe termen lung și, prin urmare, ne efectuăm analiza pe graficul săptămânal.

Figura 65: S&P 500 INDEX, grafic săptămânal (o lumânare = o săptămână). Pornind de la o scădere bruscă la punctul 1, S&P 500 crește la fel de repede cum a scăzut. În zona fostului maxim, prețul se retrage și se corectează până la punctul 3. De acolo tendința ascendentă continuă. Sursa: www.tradingview. com

După ce a scăzut până la 2.346,58 puncte la punctul 1, S&P 500 crește continuu până la punctul 2, la 2.954,13 puncte, marcând un maxim ușor mai mare. Apoi, prețul sare de pe rezistență și cade înapoi la punctul 3 la 2.728,81 puncte. Ultimul maxim de la punctul 2 marchează, în combinație cu celălalt maxim anterior, o rezistență puternică. Având în vedere că lumânarea mare verde o îmbrățișează pe cea roșie, putem fi siguri că mișcarea ascendentă va continua. Așadar, dorim să folosim această oportunitate pentru a intra pe piață și a deschide o tranzacție. Vrem să folosim breakout-ul de la ultimul maxim de la punctul 2, la 2.945,13 puncte, pentru a deschide o poziție. Stop loss-ul nostru va fi sub punctul 3 la 2.728,81 puncte. Cam atât despre abordarea clasică pe care am folosit-o până acum.

Acum dorim să coborâm într-un interval de timp mai mic pentru a vedea dacă putem intra pe piață puțin mai devreme. Poate că putem scurta puțin distanța dintre punctul de intrare și stop loss.

Figura 66: S&P 500 INDEX, grafic zilnic (o lumânare = o zi). Indicele S&P 500 se află într-o tendință ascendentă care este întreruptă în mod repetat de retrageri și mișcări laterale. Sursa: www.tradingview.com

Graficul zilnic al S&P 500 ne oferă o imagine mai detaliată și putem vedea ce s-a întâmplat în detaliu în fiecare săptămână în parte. Deoarece am finalizat deja analiza pe termen lung în graficul săptămânal, ne putem concentra pe perioada imediată dinaintea punctului nostru de intrare pentru munca de detaliu.

Putem observa că S&P 500 a scăzut de la punctul 1, de la 2.954,13 puncte, la punctul 4, de la 2.728,81 puncte. Am observat deja acest lucru în graficul săptămânal. Acolo, punctul 1 corespunde punctului nostru 4 sau A din graficul zilnic. Spre deosebire de graficul săptămânal, unde se pare că S&P 500 a scăzut abrupt fără întrerupere și s-a oprit doar la minimul de la 2.728,81 puncte, în graficul zilnic vedem că scăderea a fost însoțită de o scurtă corecție de la punctul 2 la 3.

Pentru a găsi punctul de intrare pe graficul zilnic, putem căuta din nou un punct în care probabilitatea unei creşteri suplimentare este mai mare decât probabilitatea unei scăderi suplimentare a preţului. Acesta se află în zona punctului 3 de la 2.892,15 până la punctul B de la 2.910,61 puncte. Dacă preţul creşte peste acesta, secvenţa de maxime şi minime mai mici a fost ruptă şi există o şansă pentru o continuare a tendinţei ascendente.

Astfel, putem stabili punctul de intrare deasupra punctului B la 2.910,61 puncte. Acest lucru ne oferă, de asemenea, un tampon de siguranţă în cazul în care piaţa face o încercare de scădere (înşelăciune). Putem lăsa stop loss la 2.728,81 puncte - aşa cum este planificat în graficul săptămânal - sau, mai bine, puţin mai jos, la 2.725 puncte sau chiar la 2.720 puncte.

Dacă comparăm, atunci, prin schimbarea intervalelor de timp, putem muta intrarea de la 2.954,13 puncte la 2.910,61 puncte. Acest lucru ne oferă un avantaj de 43,52 puncte!

În cele din urmă, analiza celor două intervale de timp ne permite să ne completăm imaginea de ansamblu prin suprapunerea celor două analize.

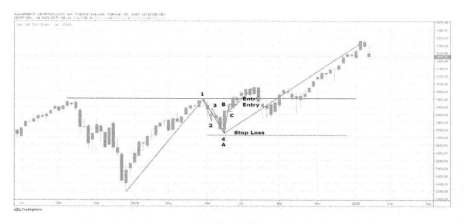

Figura 67: S&P 500 INDEX, grafic săptămânal (o lumânare = o săptămână). Sunt prezentate rezultatele graficului zilnic şi ale celui săptămânal. Acest lucru rafinează şi mai mult imaginea de ansamblu. Sursa: www.tradingview.com

Dacă combinăm rezultatele analizei graficelor săptămânale și zilnice, putem, de asemenea, să evaluăm exact cum ar trebui să se facă intrarea pe poziția din graficul zilnic. Poate că ați observat deja că am cumpărat practic o rezistență viitoare. În graficul zilnic, acest lucru are o relevanță mai mare decât în graficul săptămânal. Graficul săptămânal arată tendința ascendentă superioară și acest lucru susține opinia noastră că mișcarea ascendentă ar trebui să continue. În consecință, putem, de asemenea, clasifica șansa ca rezistența să fie spartă ca fiind ridicată. Tranzacția este justificată.

Să analizăm mai îndeaproape diferitele posibilități de gestionare pe care le oferă cele două intervale de timp. Utilizând graficul săptămânal, se stabilește că stop loss se află sub punctul 3, minimul corecției prețului de la care continuă tendința ascendentă. Dacă ne uităm la graficul săptămânal, nu există altă opțiune rezonabilă. Dar dacă mergeți mai adânc în graficul zilnic, veți găsi mai multe opțiuni pentru un stop loss. Una dintre opțiuni este una foarte strânsă sub punctul C, la 2.874,68 puncte. Desigur, aceasta este destul de agresivă și riscul de a fi oprit este mult mai mare decât în graficul săptămânal. Dar trebuie să luăm în considerare și faptul că dimensiunea poziției cu un stop loss atât de strâns este mult mai mare decât cea cu un stop loss mai larg. Așadar, din nou, întrebarea este ce doriți să obțineți în tranzacționare și dacă sunteți mai degrabă agresiv sau defensiv ca trader. De asemenea, rețineți că, dacă decideți să folosiți un stop loss strâns, puteți, pe de o parte, să folosiți o dimensiune mai mare a poziției, dar, de asemenea, este posibil să fiți oprit mult mai devreme în comparație cu un stop loss mai larg.

Dacă vă uitați la graficul zilnic, veți vedea că, cu un stop loss mai strâns, veți ieși din tranzacție fie cu un profit mic, fie cu pierderea planificată - în funcție de gestionarea tranzacției. Dacă în schimb folosiți un stop loss mai larg, veți putea captura mișcarea lungă și mai profitabilă a unei piețe. Dar va trebui, de asemenea, să treceți prin mai multe corecții de preț în timpul tranzacției dvs. Deci, din nou, tranzacționarea profesională și de succes este o chestiune de preferințe individuale.

Și aici, poate vă întrebați care este relevanța pentru subiectul nostru, managementul riscului și al banilor. Aceasta este, desigur, dată. Influența asupra elementelor din "Matricea de gestionare a banilor" poate fi resimțită imediat.

Prin rafinarea intrărilor, puteți crește cu siguranță raportul risc/recompensă realizat, deoarece pur și simplu obțineți mai mult pentru același risc dacă câștigați. Rata de reușită ar putea scădea ușor, deoarece există întotdeauna riscul de a obține un semnal fals dacă începeți mai devreme. Am discutat deja acest aspect mai sus. Acest dezavantaj este compensat de raportul risc/recompensă mai mare, astfel încât această procedură în două etape este cu siguranță sensibilă din perspectiva gestionării banilor. Frecvența de tranzacționare ar putea, de asemenea, să crească într-o oarecare măsură, deoarece există, bineînțeles, pericolul de a intra pur și simplu prea devreme pe poziții, care apoi nu declanșează semnalul de tranzacționare real, ci se îndreaptă spre pierderi. În acest caz, deschideți o poziție pe care nu ați fi deschis-o în cadrul temporal real. În acest sens, trebuie să se țină seama atunci de riscul global, chiar dacă riscul pe poziție nu crește.

Împreună, un raport risc/recompensă realizat semnificativ mai mare este compensat de o posibilă scădere a ratei de reușită și de o probabilă creștere a frecvenței de tranzacționare cu un risc general mai mare. Am subliniat deja în mai multe rânduri că raportul risc/recompensă realizat este pentru noi măsura tuturor lucrurilor. În consecință, acest avantaj potențial depășește posibilele dezavantaje. Bineînțeles, trebuie să vă verificați întotdeauna rezultatele în această privință și să luați imediat contramăsuri în cazul în care rezultatele globale se deteriorează.

Un scurt rezumat al celor mai importante fapte:

> Utilizarea unui trailing stop poate, dacă este folosit corect, să vă asigure profiturile acumulate.

> O intrare pas cu pas pe o poziție vă poate asigura profituri suplimentare fără a vă crește riscul.

> Creşterea treptată a poziţiei sub forma unei piramide vă permite să vă maximizaţi profiturile într-o tendinţă existentă.

> O tendinţă este absolut necesară dacă decideţi la ţinta de profit să lăsaţi o poziţie parţială să meargă mai departe. Un trailing stop asigură profiturile acumulate din poziţia parţială rămasă.

> În cazul unei pierderi, vă reduceţi pierderea totală prin lichidarea unei poziţii parţiale, ceea ce vă păstrează capitalul valoros pentru următoarea tranzacţie.

> Analiza pe mai multe intervale de timp deschide imaginea de ansamblu şi vă ajută să identificaţi rezistenţa sau suportul ascuns.

> Utilizând intervale de timp subordonate, vă puteţi rafina intrările şi astfel puteţi obţine un raport risc/recompensă mai mare.

CAPITOLUL 7:
Succesul poate fi planificat în pași mici spre marele obiectiv!

Am parcurs un drum lung în discuțiile noastre și ați abordat pe larg elementele de gestionare profesională a riscurilor și a banilor. Nu numai atât, dar ați învățat și tehnici concrete care vă permit să vă gestionați în mod profesionist tranzacțiile în considerarea "Matricei de gestionare a banilor". Acest lucru vă oferă instrumentele de care aveți nevoie pentru a obține un succes susținut pe piețele financiare.

Iar acest lucru ne conduce la următorul punct. Mulți investitori și trader asociază tranzacționarea cu visul de a avea bani mulți, libertate financiară și profesia de comerciant profesionist!

Vestea bună este că acest lucru este posibil. Cea rea este că sunt necesare multe condiții pentru a realiza acest lucru. Pe lângă gestionarea profesională a riscurilor și a banilor, aceasta include, în mod natural, o strategie profitabilă cu o valoare așteptată pozitivă. Pentru a dezvolta această strategie, aveți nevoie de o cunoaștere solidă a metodelor de analiză tehnică fundamentală și grafică. Imaginea de ansamblu vi se deschide doar atunci când legați toate componentele în analiza dumneavoastră. Acest lucru este valabil mai ales dacă alegeți un stil de tranzacționare pe termen lung. Din acest motiv, este foarte recomandată continuarea literaturii pe această temă.

Pe lângă cunoașterea faptelor concrete, aceasta include și cunoașterea persoanei care efectuează lucrarea. Adică dumneavoastră! Am analizat cerințele dumneavoastră personale pentru a ne asigura că stilul de tranzacționare, strategia de tranzacționare și gestionarea riscurilor vi se potrivesc cu adevărat și că vă simțiți confortabil în "pielea dumneavoastră de trader". " Numai atunci tranzacționarea dvs. poate fi cu adevărat de succes. Vă recomand să consultați și literatura suplimentară pe această temă.

Pe lângă toate cunoștințele despre tranzacționare, piețe și despre dumneavoastră, aș dori să analizez mai atent două aspecte: disciplina de tranzacționare și capitalul dumneavoastră de tranzacționare.

Am discutat deja în detaliu despre capitalul dvs. de tranzacționare, iar scopul unui management profesionist al riscului și al banilor nu este doar de a-l proteja, ci și de a-l crește. Vom aborda acest punct mai în detaliu mai târziu în acest capitol.

Disciplina de tranzacționare este o altă problemă. Și acest lucru a fost auzit de nenumărate ori. Disciplina vine din interior și poate fi menținută permanent doar dacă vă abordați tranzacționarea cu motivație și concentrare - în fiecare zi din nou. Tocmai de aceea este important să vă ocupați în mod conștiincios de gestionarea riscurilor și a banilor. Un management profesionist vă oferă baza mentală pentru a vă continua tranzacționarea într-un mod motivat și disciplinat zi de zi.

Cum se poate așa ceva? În ce măsură gestionarea riscurilor și a banilor vă ajută să vă mențineți motivația și disciplina pentru tranzacționare? Prin prevenirea pierderilor disproporționate prin gestionarea riscurilor. Prin faptul că rămâneți capabil din punct de vedere mental să acționați, chiar dacă a trebuit să acceptați o serie de pierderi. În acest sens, gestionarea strictă a riscurilor vă ajută să vă păstrați calmul și să acționați obiectiv atunci când piața este împotriva dumneavoastră. Strict vorbind, cele mai umane emoții ale dvs. în tranzacționare împiedică sau chiar sunt dăunătoare succesului dvs. de tranzacționare, deoarece nici frica, nici lăcomia nu ar trebui să vă determine deciziile de tranzacționare.

Gestionarea profesionistă a riscurilor și a banilor vă protejează de aceste emoții. Dacă este executat corect, știți totul înainte de a vă deschide poziția. Știți cât de mult puteți pierde. Știți, de asemenea, cât de mult puteți câștiga. Sunteți sigur de asta - indiferent de direcția pe care o ia piața după ce se deschide tranzacția dumneavoastră. Știți deja care va fi rezultatul pentru dumneavoastră în circumstanțe normale - atât în sens pozitiv, cât și în sens negativ. Aceasta este siguranța de care aveți nevoie pentru a putea lua decizii raționale. Singurul lucru pe care îl puteți face după ce v-ați deschis poziția este să vă gestionați profesionist tranzacția.

De-a lungul cărții am vorbit din nou și din nou despre pierdere, și pe bună dreptate. La urma urmei, pierderile fac parte din tranzacționare la fel de mult ca și costurile din vânzări. Bineînțeles, toată lumea dorește să își mențină costurile cât mai scăzute pentru a-și crește profiturile. Cu toate acestea, în general, nu este posibil să se evite costurile. Costurile sau pierderile sunt parte integrantă a unei strategii de tranzacționare. Acesta este, de asemenea, un aspect important care trebuie internalizat.

Poate că următoarea abordare vă va ajuta și pe dumneavoastră să faceți față pierderilor:

Ne-am ocupat de valoarea așteptată în capitolul anterior. O valoare așteptată pozitivă înseamnă că, în medie, fiecare tranzacție individuală generează un anumit profit. Acest lucru înseamnă că vă puteți aștepta la un profit cu fiecare tranzacție - indiferent dacă este închisă cu profit sau pierdere - în cadrul unei strategii. Sau, cu alte cuvinte: Fiecare tranzacție vă aduce cu un pas mai aproape de profitul dumneavoastră! Puteți folosi această atitudine și în multe alte domenii ale vieții dumneavoastră!

În general, putem spune că fiecare eșec pe care îl depășești te aduce cu un pas mai aproape de succesul dorit.

Încă o dată, o singură tranzacție nu este decisivă; depinde întotdeauna de suma totală!

Și dorim să creștem continuu suma totală prin gestionarea banilor. De asemenea, am discutat suficient acest lucru și cunoașteți deja o serie de elemente cu care puteți lucra aici. Haideți să aprofundăm puțin mai mult în acest punct.

Cum vă puteți mări sursa de capital? Cum puteți profita de mecanismele discutate pentru a vă crește contul de tranzacționare?

În cursul calculării mărimii poziției, am stabilit că abordarea procentuală a contului de tranzacționare este cea mai potrivită pentru scopurile noastre. Fixând suma procentuală în raport cu contul de tranzacționare, păstrați variabila sumă absolută. De exemplu, riscați întotdeauna 1% din contul dumneavoastră de tranzacționare. În acest context, am precizat, de asemenea, că această abordare acționează ca o frână și un accelerator asupra contului dumneavoastră de tranzacționare. Dacă contul dvs. crește pentru că vă aflați într-o perioadă de câștiguri repetate, atunci riscul absolut asumat crește cu fiecare nouă tranzacție. Acest lucru se datorează pur și simplu faptului că contul dvs. de tranzacționare va crește în dimensiune, mărind baza la care se aplică regula de 1%. Practic, porniți turbo!

Același efect funcționează, desigur, și în sens invers. De îndată ce apare o fază cu pierderi, fixarea procentuală încetinește declinul financiar cu fiecare nouă tranzacție. Suma absolută la risc scade de la o poziție la alta până când are loc o inversare de tendință și realizați din nou profituri.

Numai acest considerent merită să fie subliniat cu verde. Cu toate acestea, devine cu adevărat interesant dacă sunteți conștienți de legile matematicii în acest context. Pentru că puteți folosi acest efect de frână și accelerator pentru a vă construi și extinde în mod constant contul de tranzacționare!

Pentru a putea exercita cu adevărat profesia de trader profesionist, aveți nevoie de o anumită bază financiară. Pe baza conturilor de exemplu ale Annei, lui Rick și lui Peter, cu siguranță ați observat deja că niciunul dintre cele trei conturi nu este potrivit pentru a asigura de unul singur un venit permanent prin tranzacţionare.

În acest context, putem analiza cât de multe venituri sunt posibile în diferite dimensiuni de cont şi ce dimensiuni de cont pot duce la ce rezultate.

Return per time unit	10%	20%	30%	40%	50%
Account size	Return	Return	Return	Return	Return
$5,000	$500	$1,000	$1,500	$2,000	$2,500
$15,000	$1,500	$3,000	$4,500	$6,000	$7,500
$25,000	$2,500	$5,000	$7,500	$10,000	$12,500
$50,000	$5,000	$10,000	$15,000	$20,000	$25,000
$100,000	$10,000	$20,000	$30,000	$40,000	$50,000

Figura 68: Tabelul de randamente.

După cum puteţi vedea, cele cinci dimensiuni de cont de mai sus trebuie să fie tranzacţionate foarte profesionist şi cu rezultate pozitive de durată pentru a asigura o viaţă de trader profesionist. Bineînţeles, tu ştii cel mai bine cât de mult randament poţi obţine pe unitate de timp. Şi contează, bineînţeles, dacă obţineţi un randament de 10% pe zi, săptămână, lună sau an. Chiar dacă obţineţi un randament de 10% - adică, profit - pe an prin intermediul tranzacţiilor dumneavoastră, acest lucru este mai mult decât respectabil. Cu toate acestea, nu veţi atinge libertatea financiară dintr-o poziţie de staţionare cu dimensiunile de cont enumerate mai sus.

Totul devine şi mai grav dacă se ia în considerare impozitul care trebuie dedus. Atunci, rezultatul se reduce în mod corespunzător. Pentru ca observaţia să rămână simplă şi adevărată pentru oricine, ne vom abţine de la această reprezentare. Cu toate acestea, puteţi calcula cu uşurinţă efectele fiscale asupra rezultatelor tranzacţiilor în propriile calcule.

Poate că acum veţi spune: "Zece la sută? O fac în fiecare săptămână". Apoi, vă rog să reţineţi, de asemenea, că pieţele au faze în care există o volatilitate ridicată și apoi, din nou, au faze în care există o volatilitate scăzută. Din ce vreți să trăiți în timpul acestor faze slabe? Nu vă puneți sub presiune și nu tranzacționați sub constrângere! Acest lucru va avea un impact direct asupra rezultatelor dumneavoastră - unul negativ. Acest lucru, la rândul său, vă reduce baza financiară și vă pune și mai multă presiune.

Poate că dimensiunile de cont de mai sus nu sunt direct potrivite pentru a duce o viață confortabilă ca trader. Cu toate acestea, toate sunt un bun punct de plecare pentru a începe să crească o astfel de dimensiune a contului.

În acest context, imaginați-vă pur și simplu că generați un randament de 10% pe termen lung - an după an. Vă continuați să vă exercitați profesia și lăsați profiturile obținute în contul de tranzacționare. Cum credeți că va evolua contul dumneavoastră?

Să aruncăm o privire la modul în care contul dvs. se va dezvolta dacă începeți cu un capital de tranzacționare de, să zicem, 10.000 de dolari. Ce rezultate pot fi obținute?

Time unit	Starting capital	Return	Final capital time unit
1	$10,000.00	$1,000.00	$11,000.00
2	$11,000.00	$1,100.00	$12,100.00
3	$12,100.00	$1,210.00	$13,310.00
4	$13,310.00	$1,331.00	$14,641.00
5	$14,641.00	$1,464.10	$16,105.10
6	$16,105.10	$1,610.51	$17,715.61
7	$17,715.61	$1,771.56	$19,487.17
8	$19,487.17	$1,948.72	$21,435.89
9	$21,435.89	$2,143.59	$23,579.48
10	$23,579.48	$2,357.95	$25,937.42
11	$25,937.42	$2,593.74	$28,531.17
12	$28,531.17	$2,853.12	$31,384.28
13	$31,384.28	$3,138.43	$34,522.71
14	$34,522.71	$3,452.27	$37,974.98
15	$37,974.98	$3,797.50	$41,772.48
16	$41,772.48	$4,177.25	$45,949.73
17	$45,949.73	$4,594.97	$50,544.70
18	$50,544.70	$5,054.47	$55,599.17
19	$55,599.17	$5,559.92	$61,159.09
20	$61,159.09	$6,115.91	$67,275.00
21	$67,275.00	$6,727.50	$74,002.50
22	$74,002.50	$7,400.25	$81,402.75
23	$81,402.75	$8,140.27	$89,543.02
24	$89,543.02	$8,954.30	$98,497.33
25	$98,497.33	$9,849.73	$108,347.06
26	$108,347.06	$10,834.71	$119,181.77
27	$119,181.77	$11,918.18	$131,099.94
28	$131,099.94	$13,109.99	$144,209.94
29	$144,209.94	$14,420.99	$158,630.93
30	$158,630.93	$15,863.09	$174,494.02

Figura 69: Un cont de tranzacționare care începe cu 10.000 de dolari și generează un randament de 10% an de an poate ajunge la peste 174.000 de dolari înainte de impozitare după 30 de ani.

Dacă câștigați 10% în fiecare an prin tranzacționare, vă puteți construi un cont de peste 174.000 de dolari în 30 de ani. Acest lucru arată destul de bine. Iar cu acest rezultat veți depăși deja cu mult investițiile obișnuite de capital. Dar poate că veți ajunge la 10% pe trimestru? Sau, de fapt, pe lună?

Cum arată rezultatul dacă generați un randament de 25% an de an?

Time unit	Starting capital	Return	Final capital time unit
1	$10,000.00	$2,500.00	$12,500.00
2	$12,500.00	$3,125.00	$15,625.00
3	$15,625.00	$3,906.25	$19,531.25
4	$19,531.25	$4,882.81	$24,414.06
5	$24,414.06	$6,103.52	$30,517.58
6	$30,517.58	$7,629.39	$38,146.97
7	$38,146.97	$9,536.74	$47,683.72
8	$47,683.72	$11,920.93	$59,604.64
9	$59,604.64	$14,901.16	$74,505.81
10	$74,505.81	$18,626.45	$93,132.26
11	$93,132.26	$23,283.06	$116,415.32
12	$116,415.32	$29,103.83	$145,519.15
13	$145,519.15	$36,379.79	$181,898.94
14	$181,898.94	$45,474.74	$227,373.68
15	$227,373.68	$56,843.42	$284,217.09
16	$284,217.09	$71,054.27	$355,271.37
17	$355,271.37	$88,817.84	$444,089.21
18	$444,089.21	$111,022.30	$555,111.51
19	$555,111.51	$138,777.88	$693,889.39
20	$693,889.39	$173,472.35	$867,361.74
21	$867,361.74	$216,840.43	$1,084,202.17
22	$1,084,202.17	$271,050.54	$1,355,252.72
23	$1,355,252.72	$338,813.18	$1,694,065.89
24	$1,694,065.89	$423,516.47	$2,117,582.37
25	$2,117,582.37	$529,395.59	$2,646,977.96
26	$2,646,977.96	$661,744.49	$3,308,722.45
27	$3,308,722.45	$827,180.61	$4,135,903.06
28	$4,135,903.06	$1,033,975.77	$5,169,878.83
29	$5,169,878.83	$1,292,469.71	$6,462,348.54
30	$6,462,348.54	$1,615,587.13	$8,077,935.67

Figura 70: Un cont de tranzacţionare care începe cu 10.000 de dolari şi generează un randament de 25% an de an poate ajunge la peste 8 milioane de dolari înainte de impozitare după 30 de ani .

Ce înseamnă asta pentru tine? Bineînțeles, acest rezultat nu este de la sine înțeles. Chiar dacă am arătat deja de mai multe ori că un rezultat de 25% este foarte posibil dacă optimizați elementele din "Matricea de gestionare a banilor" și acordați atenție calității tranzacțiilor dvs. Acțiunile bine gândite și inteligente sunt cheia succesului.

Condiția prealabilă de bază este, desigur, întotdeauna o strategie profitabilă adecvată. Am menționat acest lucru din nou și din nou. Dar, în cele din urmă, cel mai important factor sunteți dumneavoastră, dumneavoastră sunteți traderul executant. Depinde de tine să generezi acea sumă. Acest lucru înseamnă, de asemenea, să fii capabil să faci față riscului absolut în creștere. De exemplu: Dacă vă asumați întotdeauna un risc de 1% din contul dvs. de tranzacționare pe tranzacție, atunci, cu un cont de tranzacționare de 10.000 de dolari, aceasta reprezintă 100 de dolari gestionabili. Dar dacă contul dumneavoastră crește și ajungeți apoi la 100.000 de dolari, atunci vorbim acum de un risc absolut de 1.000 de dolari. Dacă ați ajuns la o dimensiune a contului de 500.000 de dolari, acest lucru înseamnă un risc de 5.000 de dolari pe tranzacție. În termeni procentuali, avem încă un risc de 1% aici. Cu toate acestea, nivelul de referință a crescut semnificativ. Trebuie să fiți capabil să faceți față acestui lucru. Pentru că atingerea valorilor prezentate mai sus poate fi garantată doar dacă respectați cu strictețe și disciplină planul. De îndată ce vă abateți de la plan, vă riscați rezultatul global.

De ce lucrăm atât de mult la aceste cifre? Pentru a vă da o idee despre cât de mult se poate face dintr-o sumă de bani gestionabilă dacă urmați o strategie disciplinată și acordați atenție calității tranzacțiilor. Dacă luați în considerare mecanismele din "Matricea de gestionare a banilor" în acest context și optimizați elementele în funcție de cerințele dumneavoastră, atunci sunteți pe drumul cel bun pentru a vă atinge obiectivul. Pentru că matematica financiară va face restul pentru dumneavoastră:

"Dobânda compusă este a opta minune a lumii. " - Mayer Amschel Rothschild

Un scurt rezumat al celor mai importante fapte:

> Gestionarea profesională a riscurilor şi a banilor vă poate proteja de emoţiile dăunătoare în tranzacţionare.

> Fixarea procentuală a riscului în raport cu contul dumneavoastră de tranzacţionare acţionează ca o frână şi un accelerator. În fazele bune acceleraţi, în fazele dificile frânaţi automat.

> Efectul dobânzii compuse poate face ca şi conturile de tranzacţionare mici să crească până la sume substanţiale. Folosiţi bine acest efect!

Cap. 8 Studiu de caz referitor la principiile investiţionale dezbătute în carte de autor:

"Norocul? De când alergi după el, ţi-l făceai singur".,
Alexandru Vlahuţă

Acum, aproape la încheierea cărţii, vă rog sa aveţi puţină răbdare ca sa explic şi eu, în calitatea mea de investitor individual, ce am înţeles din cele prezentate mai sus de către autorul cărţii.

Numele meu este Mircea Teodor Rujinschi Secară şi sunt un mic investitor pe piaţa de capital din România. În anul 2013, am început tranzacţionarea şi m-am confruntat cu problema de a cumpăra, tot timpul, în preţuri maxime ale acţiunilor raportate la o perioadă de 3-5 ani. Consideram că, altcineva e de vină pentru eşecul meu. Am efectuat cercetări constante şi am descoperit o serie de specialişti ai pieţelor globale de capital (de la Anton Kreil – ex Goldman Sachs Inc., Clive Lambert – IFTA Board, până la autorul nostru) care mi-au deschis orizontul de gândire şi m-au determinat să devin profitabil în tranzacţionarea mea. Mai jos, prezint o scurtă metodologie de a tranzacţiona în mod profitabil.

Deşi, mulţi investitori nu o iau în considerare, partea de prospectare a pieţei de titluri de valori este foarte importantă, întrucât îţi creionezi sau îți stabilești liniile principale în funcție de care îți vei îndeplini sarcina – profitul.

Înainte, să acționezi cumva și să cumperi/vinzi/împrumuți o acțiune, tu ar trebui și trebuie să răspunzi la această întrebare simplă:

-Este o acțiune ciclică? În general, bunuri și servicii necesare vieții zilnice (ex: utilități, producție de medicamente, etc.), iar în condiții economice „dificile" societatea listată va realiza mai multe venituri și un profit mai mare decât în perioada anterioară (preluat de la Alex Elian – Director de vânzări SSIF Blue Rock Financial Services)

-Este o acțiune non-ciclică? În general, bunuri care nu sunt necesare vieții curente (ex: producător de mașini scumpe, turism, lux, etc.) și în condiții economice „mai dificile" va obține mai puține venituri totale și un profit mai mic raportat la o perioadă anterioară.

-Este o companie/societate listată care va face o schimbare „structurală" în domeniul lor de activitate (ex: PayPal, VISA) și vor restarta modul în care operațiunile comerciale vor fi efectuate în viitor

De asemenea, înainte de a cumpăra o acțiune, trebuie să cercetați și să găsiți informatii despre:

-situatiile financiare, în special, fluxurile de numerar din activitatea curentă, unde puteți vedea, dacă compania listată vinde, de exemplu, produse/servicii cu 100 – 150% , adaos comercial

-își crește clienții de la o perioada la alta si își multiplică veniturile sale, (ex: venituri din comisioane în activitatea de brokeraj a firmei listate)

-este într-un domeniu de activitate economică în care prețul este reglementat de Guvernul țării respective sau se află într-un regim liberalizat de piață și puteți prognoza în procent de 85% veniturile sale totale.

În activitatea mea investițională, de obicei, imi realizez acest tabel in Excel pentru a calcula dinainte profitul potențial, respectiv pierderea potențială. Acest calcul transmite creierului informații despre dorința mea de câștig. Acest tabel se prezintă astfel:

A. Simbol	B. Pret de echilibru	C. Numar de acțiuni	D. Valoare de cumpărare inclusiv comision	E. Posibilitate de vânzare(10%)	F. Valoare de vânzare	G. Comision de vânzare (0,4%)	H. Comision total	I. Profit/ Pierdere
	B=D/C			E=C*10%	F=C*E	G=F*0,4%	H=D+G	I=G-H

Trebuie să faci acest exercițiu, pentru că trebuie să-ți creezi diferite scenarii imaginare privind evolutia pretului acțiunii în piață. Aceste scenarii trebuie construite mental iar autosugestia reprezintă prietenul tău fidel. Îți acorda mai multe șanse de reușită materializate în obținerea profitului și antrenarea conceptului de răbdare și îți oferă posibilitatea și oportunitatea de a vedea cu ochii tăi creșterea prețului acțiunilor în următoarea perioadă (zile, luni, ani).

Mai jos, am detaliat un exemplu:

Studiu de caz: Firma de brokeraj: BRK FINANCIAL GROUP S.A.

Situatii financiare: *August 2020*: Partea venituri – Venituri din comisioane și activități conexe

30.06.2020	30.06.2019
3.642.609	1.271.107

Situatii financiare: Noiembrie *2020*: Partea venituri – Venituri din comisioane și activități conexe

30.09.2020	30.09.2019
5.008.080	2.302.254

Operațiuni de tranzacționare- Prima etapă:

AUGUST 2020: Achiziție: 13582 acțiuni la preț de cumpărare (inclusiv commission broker) 0.0737 ron/acțiune

IANUARIE 2020: Achiziție 5000 acțiuni la preț de cumpărare (inclusiv commission broker) 0.0943 ron/acțiune

IANUARIE 2021: Vânzare: 18582 acțiuni la preț de vânzare de 0,092 ron / acțiune. Profit de 228,5 ron.

YIELD: 15 % (0,092 x 18582 acțiuni :1,004 "ommission vânzare broker"minus 0,0794 x 18582 acțiuni)

Figura 71: Grafic SSIF BRK din momentul operațiunilor de achiziții/vânzare acțiunea. O lumânare = o zi de tranzacționare.

Operațiuni de tranzacționare- A doua etapă:

Achiziții – commission broker 0,4%:
15.02.2021: 5.000 acțiuni BRK la pret de 0.1105 ron., cost total de 554,71 ron

17.02.2021: 9500 acțiuni BRK la preț de 0.1308 ron, cost total de 1247,57 ron

18.02.2021: 13.300 acțiuni BRK la preț de 0.126 ron, cost total de 1682,5 ron

Cost total general : 3484,78 ron pentru 27.800 actiuni,

Vânzare-comision 0,4%:

24.02.2021: 27.800 acțiuni BRK la preț de 0.1345 ron . Profit de 238,41 ron

Yield de 7% în 10 zile

Figura 72: Grafic SSIF BRK din momentul operațiunilor de achizițiI/vânzare acțiunea. O lumânare = o zi de tranzacționare.

Acum, să vedem cum s-ar fi poziționat autorul acestei cărți. În prima etapă, ar fi ținut cele 18.852 acțiuni BRK la prețul de 0.079 ron. În luna februarie ar mai fi achiziționat 27.800 acțiuni la cost de 0.12 ron. În total, deținea 46.652 acțiuni la cost mediu de 0.1034 ron.

Daca vinde, teoretic, la prețul de 0,1345 toate acțiunile deținute (ținând cont și de comisionul de 0.4%) obține un profit de 1.423,33 ron și un yield de 29%, fără a lua în calcul că avea destul timp ca sa mai efectueze alte operațiuni de cumpărare și să-și construiască piramida sa de achiziții.

In final, mai menționez că, una dintre cele mai mari întâmplări nefericite este ca tu să fii afară din piață în momentul în care prețul acțiunii crește și vizualizezi profitul potențial pe care nu-l mai obții, întrucât ceilalți actori și participanți ai pieței de capital te-au înfrânt psihologic prin acțiunile lor.

Mai jos, un exemplu:

Figura 73: Grafic EVERGENT INVESTMENTS SA (EVER) o lumânare= o săptămână. Ever se află într-un ascending triangle și, în viitor, dacă formațiunea grafică se validează, prețul poate urca la 1,70—1,75 ron.

Cuvânt de încheiere

Dragă cititorule! Am ajuns la finalul considerațiilor noastre și sper că ați reușit să luați câteva sugestii din această carte pentru practica dvs. personală de tranzacționare.

Am discutat o mulțime de puncte și, pornind de la viața, în general, am ajuns la tranzacționarea pe piețele financiare. Privind retrospectiv la piețe, am constatat că managementul riscului nu este o idee atât de rea dacă vrei să te implici activ în tranzacționarea de mâine. Și exact asta este dorința mea pentru dumneavoastră. Puneți în practică ceca ce ați citit și ați învățat și lucrați intensiv cu aceasta. Protejați-vă prețioasa bază financiară și construiți-o continuu, bucată cu bucată, până când vă veți atinge obiectivul personal de tranzacționare. Utilizați și optimizați elementele "Matricei de gestionare a banilor" și căutați în mod constant îmbunătățirea componentelor sale individuale.

Scopul meu în această carte este să vă arăt că tranzacționarea nu este o vrăjitorie. Nu trebuie să deschideți un număr excesiv de tranzacții sau să implementați strategii deosebit de exotice pentru a obține un rezultat respectabil. Și nici nu trebuie să vă asumați un risc disproporționat.

Amintiți-vă întotdeauna: Dacă vă asumați un risc de poziție de 1% din contul dvs. de tranzacționare și executați 100 de tranzacții cu o rată de succes de 50% și un raport risc/recompensă realizat de 1,5, atunci rezultă un randament total de 25% de creștere a capitalului! Și ați văzut în capitolul anterior unde vă poate duce un randament de 25% dacă îl realizați în mod constant și regulat. Pentru a atinge acest obiectiv, de acum înainte nu poate exista decât un singur principiu pentru dumneavoastră: Calitatea înainte de cantitate!

Aveți nevoie de o strategie de tranzacționare solidă, de cunoașterea propriilor preferințe și provocări în materie de tranzacționare și de disciplină. Sunt foarte bucuros să vă sprijin să construiți, să dezvoltați și să mențineți aceste și alte puncte.

Nu ezitați să mă abordați în această privință. Sunt întotdeauna bucuros să primesc întrebările, sugestiile și feedback-ul dumneavoastră. Puteți să mă contactați prin intermediul site-ului web al Școlii de comercianți Torero sau la adresa get-ready@torero-traders-school. com. De asemenea, mă puteți găsi pe Facebook și pe celelalte rețele de socializare. Așadar, haideți să luăm legătura!

În acest sens, vă doresc întotdeauna tranzacții bune și mult succes în drumul spre obiectivul dvs. personal de tranzacționare!

Al vostru,
Wieland Arlt

Despre autor

> *"Wieland Arlt este unul dintre cei mai de succes comercianți din Germania, un vorbitor căutat și autor de articole și cărți de specialitate".* - Börse Online

Wieland Arlt este tehnician financiar certificat (CFTe®), coach și trainer. În calitate de trader profesionist, se ocupă de mulți ani de subiectul investițiilor și al tranzacțiilor. Este un autor de bestseller și a scris, de asemenea, numeroase articole despre tranzacționare.

Este președinte al "Federației Internaționale a Analiștilor Tehnici (IFTA)", precum și membru al Consiliului de Administrație al "Asociației Analiștilor Tehnici din Germania (VTAD)" și este, de asemenea, un vorbitor foarte solicitat la expoziții și conferințe internaționale de bani.

În calitate de trader, antrenor și formator, este important pentru el să formeze fiecare trader cu abordări de tranzacționare care sunt ușor de înțeles și, prin urmare, ușor de implementat.

În special, luarea în considerare a cerințelor individuale ale fiecărui investitor este de mare importanță pentru dânsul .

Scopul său declarat este de a sprijini investitorii în atingerea obiectivelor lor financiare într-un mod autodeterminat și de a tranzacționa cu succes pe piețele financiare pe termen lung.

Despre Școala Torero Traders

Școala Torero Traders School urmărește scopul de a arăta traderilor și investitorilor căile de acces la obiectivele lor financiare și de a-i sprijini în atingerea obiectivelor lor. Astfel, Torero Traders School se vede pe sine ca partener și mentor.

În acest scop, Torero Traders School oferă persoanelor interesate o educație și un coaching cuprinzător, care este implementat sub formă de cursuri video și webinarii, precum și sub formă de traininguri personale.

Programele de formare ale Școlii de Traderi Torero au ca scop transmiterea cunoștințelor necesare, astfel încât fiecare participant să își poată defini propria abordare a tranzacționării. Ca urmare, investitorii dobândesc cunoștințele și abilitățile necesare pentru a-și lua viitorul financiar în propriile mâini și pentru a lua decizii de investiții independente.

www.torero-traders-school.com

Lightning Source UK Ltd.
Milton Keynes UK
UKHW020639120122
397020UK00009B/539